SEPTEMBER

PLAY

遊びのシーンで使う表現

9月

子どもの脳や体は毎日成長し、ママ・パパを驚かせます。
すくすくと成長するにつれ、外遊びもますます楽しくなるでしょう。
子どもと遊ぶときに使えるような、
遊びのシーンで使う必須表現をまとめてみました。
体を動かして遊びながらこれらの表現を使えば、
子どもたちは耳と体で表現を習得していくでしょう。

9月の音声

右記を読み取ると
日付が選択できます

That sounds like fun.
楽しそう

How about we go play on the playground?

公園に行って遊ぼうか？

公園で遊ぶことを play on the playground と言います。
子どもたちは公園が大好きなので、この表現をすぐに覚えてしまうでしょう。
今日は子どもの手を取り公園へ出かけ、
一緒に遊んですてきな思い出をつくってみるのはどうですか？
今までよりもっと仲良く、固い絆を築くことができますよ。

 今日の 語句　**playground**〔名詞〕公園

I'd like that.
うん、そうしたい

Do you want to go on the swing?

ブランコに乗りたい?

子どもがはじめてブランコに乗るときは、少しぎこちないかもしれません。
でも、ブランコをそっと押してあげれば、子どもの顔に愛らしい笑顔が浮かぶでしょう。
「乗る」といえば普通、rideを思い浮かべるかもしれませんが、
遊具に乗るときには、主にgo onを使います。
ブランコに乗ることはgo on the swingと表現します。

今日の
語句　**swing** 〔名詞〕ブランコ

Yes, please!
うん、お願い!

Do you want me to push you harder?

もっと強く押してあげようか?

子どもが大きくなるほど、ブランコに乗った子どもを押す力が強くなり、
ブランコのスピードも速くなります。このようなシーンではpushという単語を使います。
子どもが退屈そうだったらpush harder（もっと強く押す）を使って話しかけてみましょう。
ブランコに乗った子どもが楽しそうに笑えば、
ブランコを押すママやパパの気分も明るくなりますね。

 今日の
語句 　**harder**〔比較級の副詞〕もっと強く

I want to go higher!
もっと高く!

You're swinging so high!

ブランコ、すごく高く上がってるね!

子どもの中にはドキドキすることが大好きで、
ブランコを高くこぎたがる子もいます。
でも、あまり高くこぎすぎると危険なので、注意しなくてはなりません。
高くこぎすぎているときには、'You're swinging so high!' と言って、
安全に遊べるように注意を促してください。

 今日の語句　**high**〔副詞〕高く

Not yet.
まーだ

Do you want to get off the swing?

ブランコ、降りようか？

ブランコが楽しすぎて、ずっと乗っていたがる子もいるでしょう。
でも、すぐにほかの遊具で遊ぼうとして、降りたくなることもあるかもしれません。
ブランコから「降りる」は get off を使います。
子どもがブランコに飽きたようであれば
'Do you want to get off the swing?' と聞いてみましょう。

今日の
語句　**get off**〔句動詞〕（乗り物や遊具などから）降りる

Yes, but not too fast.
うん、でもあんまり速くしないでね

Do you want me to spin the merry-go-round for you?

グルグル、回してあげようか?

merry-go-roundを直訳すると「楽しく回る」という意味ですが、
メリーゴーランドやグルグル回る回転遊具を意味することもあります。
子どもが自分で回しながら乗るのは難しいので、
'Do you want me to spin the merry-go-round for you?'と聞いて
グルグル回る世界を一緒に眺めてみましょう!

今日の
語句　**spin**〔動詞〕回す

A little bit.
少しね

Are you dizzy?
目が回ってるの?

子どもが merry-go-round のような回転遊具に乗りすぎると
目が回って、降りるときに転ぶことがあります。
子どもをすぐに支えられるようにしておきましょう。
「目が回っている」は dizzy と言います。子どもがまっすぐ歩けず
目が回っているようであれば 'Are you dizzy?' と聞いてみましょう。

今日の
語句　**dizzy**〔形容詞〕目が回っている

Yes. I'm scared!
うん。怖いよ!

Do you want me to slow down?

もっとゆっくりにする?

公園で使うさまざまな表現の中で、もっとも重要なものは slow down でしょう。
どんな遊具でも、危険なほど速いスピードが出ているときには、
この表現を使わなくてはいけません。
大人には速く感じられなくても、子どもにはとても速く感じられることがあるので、
ときどき子どもに 'Do you want me to slow down?' と聞いてみるのがよいでしょう。

 今日の
語句　**slow down** 〔句動詞〕もっと遅くする

I will!
そうするよ!

Hold on tight!

しっかりつかまって!

楽しく遊ぶことも大切ですが、何よりも重要なことは子どもたちの安全です。
子どもがブランコ、回転木馬やシーソーなどに乗るときは、
「しっかりつかまって」と伝えましょう。
英語では 'Hold on tight.' ですが、
とても実用的な表現なので使うシーンも多いはずです。
遊具にしっかりつかまった手はとてもかわいらしく、どこかたくましくも見えますね。

 今日の語句 **tight** 〔副詞〕しっかり、ぎゅっと

I can climb it on my own.
自分で登れるよ

Do you want me to help you climb the ladder?

ハシゴに登るの、手伝ってあげようか？

子どもが遊具に登ろうとすると、ママやパパは緊張するものです。
足をすべらせてケガをするかもしれないと、心配にもなります。
でも、それほど危険でなければ、すぐにとめることもないでしょう。
遊具の感触を確かめながら、安全に登れるように近くで見守ってあげましょう。
特にハシゴ状の遊具などに登るとき、はじめのうちは手助けが必要かもしれませんが
すぐにひとりで登れるようになるでしょう。

今日の
語句　**ladder**〔名詞〕ハシゴ

273

Look what I can do!
見て、見て!

Look at you!

すごいね!

公園で遊ぶ子どもを見ていると、たびたび驚かされることがあります。
家の中では気づかなかった、子どもの新たな成長を目にすることもあります。
上手にブランコをこいだり、両腕で一生懸命ぶら下がりながら雲梯を渡ったとき、
立派な成長に思わず拍手をしてしまいます。
そんなとき、'Look at you!' のようにほめてあげるとよいでしょう。
「わあ!　すごいね!」と伝えてあげる表現です。

 **look** 〔動詞〕見る

Help me!
助けて!

Do you want to get down from there?

そこから下りたいの?

子どもが遊具から下りたがっていますね。下りることは get down と言います。
アメリカの公園でも高いところに登っていく子どもに向かって親が大声で
'Get down from there!' と声をかけるのをよく聞きます。
高いところに登ったけれど、下りるのが大変そうな子どもには、
'Do you want to get down from there?' と聞いてみてください。
手助けが必要なときに、すぐに手を差し伸べることができるでしょう。

 今日の語句 **from there** 〔表現〕そこから

This is so much fun!
すごく楽しいね!

Do you want me to go down the slide with you?

すべり台、一緒にすべろうか?

すべり台は慣れるまで、大人が一緒にすべってあげることもありますね。
「すべり台をすべる」は英語で go down the slide と言います。
子どもがすべり台の前で緊張しているようなら、
'Do you want me to go down the slide with you?' と聞いてみましょう。

今日の語句	**go down** 〔句動詞〕下りる

What about that one?
じゃあ、あれは？

I don't think you're ready for this one yet.

この遊具は、きみにはまだ危ないと思うよ

公園には小さな子ども用の遊具と、少し大きくなった子ども用の遊具があります。
子どもは恐れを知らず、駆け寄っていくこともあります。
そのようなときには 'I don't think you're ready for this one yet.' と伝えましょう。

 今日の語句　**ready**〔形容詞〕準備のできた

277

**I did it
all by myself!**
ひとりでできたよ!

You went down the slide all by yourself!

すべり台、ひとりですべれたね!

はじめはママやパパが子どもと一緒に遊具に乗ってあげるでしょうが、
そのうち、子どもはひとりで遊具に乗るようになります。
そんな子どもの姿を見ていると、ママ・パパは誇らしく思うでしょう。
「手助けなしで」「ひとりで」という表現は all by yourself と言います。

今日の
語句　**slide**〔名詞〕すべり台

**I think
I'm going to
fall down.**
落ちそうだよ

Can you keep your balance on this?

この上でバランス取れる?

バランスを取ることを目的とした遊具は、最初はうまく遊べないかもしれません。
バランスを取るのは難しいかもしれませんが、平衡感覚の発達に役立ちます。
バランスを取ることを英語では keep one's balance と言います。
子どもに 'Can you keep your balance on this?' と聞いてみましょう。

今日の
語句 **balance** 〔名詞〕バランス

Like this?
こう?

Straighten your legs and pull back on the chains.

脚をまっすぐ伸ばして鎖を後ろに引いてごらん

子どもはある日突然、大人の手助けなしにひとりでブランコをこぎたがるようになります。
子どもにブランコのこぎ方をうまく説明してあげなくてはなりませんね。
ブランコにひとりで乗るときには、脚を伸ばして、鎖を後ろに引きます。
この動作を簡単に言うと、'Straighten your legs and pull back on the chains.'と表現します。
何度か教えてあげれば、すぐにできるようになるでしょう。

 今日の語句 **chain** 〔名詞〕鎖

Part2
実力をチェックしよう
模擬テスト

原付免許のテストは50点満点で45点以上が合格です。問題数は文章問題が46問（1問1点）、イラスト問題が2問（1問2点）で、30分で解答します。

P.128と129を読んでから模擬テストにチャレンジ！

文章問題

テストのうち46問が文章問題です。いままで学習した知識とポイントをおさえておけば大丈夫です！

交通用語の意味を覚えましょう！

交通ルールには、独特の用語がたくさんあります。また、ふだん使っている意味と異なるものもみられます。正しい意味を理解しておきましょう。

例題 車が進路を変えずに進行中の前車の前方に出ることを追い越しという。

答✕ 設問のような場合は、「追い越し」ではなく「追い抜き」になります。

[➡P.42・No.18]

数字を正しく覚えましょう！

試験問題には、数字が正しいかを問う問題も出されます。数字の場合、正しく覚えておかないと正解できません。ルールごとに覚えておきましょう。なお、数字の範囲を示すことばにも注意が必要です。

例題 横断歩道とその端から前後10メートル以内の場所は、駐停車が禁止されている。

答✕ 横断歩道とその端から前後5メートル以内が駐停車禁止場所です。[➡P.54・No.28]

範囲を示すことば
以上・以下・以内
↓
その数字を含む。
未満・超える
↓
その数字を含まない。

例外があるルールに注意しましょう！

「必ず」「どんな場合も」「絶対に」が出てくる問題には注意しましょう。例外がない場合は答は〇ですが、例外がある場合は答は✕となります。

例題 歩行者のそばを通るときは、必ず徐行しなければならない。

答✕ 安全な間隔をとれるときは、徐行の必要はありません。[➡P.72・No.45]

128

イラスト問題

イラスト問題は２問ですが、配点が２点と高く、２問とも間違えると－４点で合格はむずかしくなります！

 危険を見抜くポイントをチェックしましょう！

　実際の交通状況を再現したイラストには、さまざまな危険が潜んでいます。周囲の車・歩行者・自転車の動向、信号の状況、標識・標示の読み取りなどのほか、車のかげにいる二輪車など、目に見えない危険を予測することも必要です。「〜かもしれない」と考えて危険を見抜きましょう。

 配点が２点であることに注意しましょう！

　イラスト問題は２問出題され、配点は２点です。１問に３つの設問があり、３問とも正解しないと２点となりません。原付免許の合格点は50点中45点以上のため、イラスト問題を２問とも不正解だと「－４点」となり、あと１問しか間違えられずに合格はきびしくなります。

イラストはココを見る

対向車の有無

信号の状況

歩行者、自転車の動向

後続車の有無

前車の動向

⏰ 本試験制限時間：**30**分 　🎤 合格点：**45**点以上

> それぞれの問題について、正しいと思うものには○、誤っていると思うものには✕で答えなさい。

問1
□ □ 車を運転する場合、交通規則を守ることは道路を安全に通行するための基本であるが、事故を起こさない自信があれば、必ずしも守る必要はない。

問2
□ □ 工事現場の鉄板の上はぬれるととくにすべりやすくなるので、急ブレーキをかけなくてすむように、あらかじめ十分速度を落として走行する。

問3
□ □ エンジンブレーキの制動効果は、低速ギアより高速ギアのほうが高い。

問4
□ □ 路面電車が通行するために必要な道路の部分を「軌道敷」といい、原則として車の通行が禁止されている。

問5
□ □ 図1の標示のある場所では、駐車はできないが停車をすることはできる。

図1

問6
□ □ 二輪車でカーブを通行するとき、車体を傾けると転倒や横すべりをしやすいので、できるだけ車体を傾けないでハンドルを切るほうが安全である。

問7
□ □ 追い越しをするときは、まず右側に寄りながら右側の方向指示器を出し、次に後方の安全を確かめるのがよい。

問8
□ □ 交通事故が起きたときは、過失の大きいほうが警察官に届けなければならない。

問9
□ □ 対面する信号が右向きの青色の灯火の矢印を表示しているとき、一般原動機付自転車はどんな交差点でも右折することができる。

問10
□ □ 右折と転回の合図の方法は、同じである。

を当てながら解いていこう。間違えたら交通ルールに戻って再チェック！

| 正解 | ポイント解説 | 配点：問1〜46➡1点　問47・48➡2点（3問とも正解の場合） |

問1

自信過剰な人ほど、事故を起こしやすい傾向があります。

問2

すべりやすい場所では、あらかじめ速度を十分落として走行します。

問3

エンジンブレーキは、低速ギアのほうが制動効果は高くなります。

P.64 NO.40

問4 ⭕

軌道敷とは設問のとおりで、軌道敷内は、右折や左折で横切るときなどを除き通行してはいけません。

P.68 NO.42

問5 ⭕

黄色の破線の標示は、駐車禁止を表します。

P.27 NO.10

問6 ❌

ハンドルを切るのではなく、車体を傾けて自然に通行するのが安全です。

P.120 NO.95

問7 ❌

まず安全を確かめてから合図を出し、もう一度安全確認してから進路変更します。

P.46 NO.22

問8 ❌

過失の度合いに関係なく、両方とも届け出なければなりません。

問9 ❌

二段階の方法で右折する交差点の場合は、右折できません。

P.12 NO.1

問10 ⭕

右折と転回の合図は、右側の方向指示器を出すなど同じ方法で行います。

P.85 NO.60

問11 図2の標識は、「警笛禁止」を意味する。　　　図2

問12 交通渋滞で停止している車の側方を一般原動機付自転車で走行する場合は、車のかげから歩行者が飛び出したり、停止中の車のドアが急に開いたりすることがあるので、十分注意する。

問13 踏切内は、歩行者や対向車に注意しながら、できるだけ左端を通行する。

問14 二輪車を運転してカーブを走行するときは、カーブの手前で速度を落とし、カーブの後半では、前方の確認をしてからやや加速するようにする。

問15 「キープレフトの原則」とは、車両通行帯のない道路で、自動車と一般原動機付自転車が道路の左側部分の左に寄って通行することである。

問16 図3は、右折か転回、または右に進路変更するときの手による合図である。　　　図3

問17 二輪車を選ぶときは、二輪車にまたがったとき、両足のつま先が地面に届かなければ、体格に合った車種とはいえない。

問18 一般原動機付自転車の所有者は、強制保険に加入していれば、任意保険にまで加入する必要はない。

問19 トンネルの出入り口付近では、必ず徐行しなければならない。

問20 安全運転の大切なポイントは、自分の性格やくせを知り、それをカバーする運転をすることである。

問21 交差点で警察官が両腕を地面と垂直に上げているとき、警察官の身体の正面に対面する方向の交通は、赤色の灯火信号と同じである。

問11
警笛禁止ではなく、「警笛鳴らせ」を意味します。
P.22 NO.7

問12
歩行者の飛び出しや、車のドアの開閉には十分注意しなければなりません。
ここで覚えよう!

問13
踏切内は、落輪しないようにやや中央寄りを通ります。
P.116 NO.92

問14
カーブを走行中にブレーキをかけずにすむように、設問のように「スローイン・ファーストアウト」で通行します。
P.119 NO.95

問15
自動車と一般原動機付自転車は、設問のような「キープレフトの原則」に従って通行します。
P.78 NO.52

問16
四輪の運転者が腕を車の外に出して水平に伸ばす合図は、右折か転回、右への進路変更を意味します。
P.85 NO.60

問17
またがったとき、両足のつま先が地面に届く二輪車を選びます。
ここで覚えよう!

問18
万一のことを考え、任意保険にも加入しておくほうが安心です。
P.108 NO.85

問19
トンネルの出入り口付近で徐行しなければならないという規則はありません。
ここで覚えよう!

問20
自分の性格やくせをカバーして、安全運転に努めることが大切です。
ここで覚えよう!

問21
設問の警察官の手信号は、赤色の灯火信号と同じです。
P.13 NO.2

問22 図4の標識のあるところでは、車は道路の中央から右側部分にはみ出して追い越しをしてはならない。 図4

問23 二輪車は、路面を中心とした前方の近いところに視線が向けられ、四輪車に比べて左右方向や遠くの情報のとり方が少ない傾向がある。

問24 運転者が疲れているときは空走距離が長くなるので、車間距離を多めにとる必要がある。

問25 一般原動機付自転車の乗車用ヘルメットは、PS(c)マークかJISマークの付いた安全なもので、自分の頭の大きさに合ったものを選ぶ。

問26 身体障害者用の車いすで通行している人は、歩行者に含まれない。

問27 図5の信号を表示している交差点では、車は徐行して進行しなければならない。 図5

問28 同一方向に3つ以上の車両通行帯があるとき、一般原動機付自転車は、交通量の少ない車両通行帯を選んで通行するのがよい。

問29 二輪車のタイヤの点検は、空気圧、亀裂やすり減り、溝の深さに不足がないかなどについて行う。

問30 一般原動機付自転車に積載できる荷物の高さは、荷台から2メートルまでである。

問31 「歩行者がいるとは思わなかった」「対向車が来るとは思わなかった」「右から車が来るとは思わなかった」と言い訳をするような事故は、死角に潜んでいる危険を予測しなかったためである。

問32 図6の標識のあるところでは、一般原動機付自転車は二段階の方法で右折しなければならない。 図6

134

問22
図4は、道路の中央から右側部分にはみ出して追い越しをすることを禁止する標識です。
P.17 NO.6

問23
二輪車には設問のような傾向があるので、注意して運転するようにします。
ここで覚えよう！

問24
疲れてくると、危険を感じてブレーキをかけ、ブレーキが効き始めるまでに車が走る距離(空走距離)が長くなります。
P.63 NO.38

問25
PS(c)マークかJISマークの付いた安全なもので、自分の頭の大きさに合った乗車用ヘルメットを選びます。
P.97 NO.74

問26
身体障害者用の車いすで通行している人は、歩行者に含まれます。そのほか、手押し車やショッピングカートを用いて通行している人なども同様です。
P.71 NO.44

問27
黄色の灯火信号では、車は停止位置に近づいていて安全に停止できないときを除き、停止位置から先へ進んではいけません。
P.11 NO.1

問28
車両通行帯が3つ以上ある道路では、一般原動機付自転車は、原則として最も左側の通行帯を通行します。
P.80 NO.54

問29
二輪車は、設問のようなタイヤの点検をしてから運転します。
P.104 NO.80

問30
荷物の高さは、荷台からではなく、地上から2メートルまでです。
P.82 NO.56

問31
車を運転するときは、「ひょっとしたら～かもしれない」と危険を予測する必要があります。
ここで覚えよう！

問32
図6は「一般原動機付自転車の右折方法(小回り)」を表し、二段階右折してはいけません。
P.17 NO.6

問33 二輪車に乗るときは、体の露出がなるべく少なくなるような服装をし、できるだけプロテクターを着用するとよい。

問34 信号機の黄色の灯火の矢印は、路面電車専用であるから、自動車や一般原動機付自転車は矢印の方向に進んではならない。

問35 車両通行帯のない道路では、一般原動機付自転車は、原則として道路の左側に寄って通行しなければならない。

問36 車を運転しているときにスマートフォンなどで通話をすることは禁止されているが、メールの読み書きは運転に与える影響が少ないので禁止されていない。

問37 図7の標識は、自動車と一般原動機付自転車が通行できないことを表している。

図7

問38 緊急自動車が近づいてきたとき、交差点に入っている車は、ただちに徐行しなければならない。

問39 トンネルの中や霧のために50メートル先が見えない場所を通行するときは、昼間でもライトをつけなければならない。

問40 正面衝突しそうになったとき、道路外が危険な場所でない場合であっても、道路から出てはならない。

問41 自転車に乗った人が自転車横断帯で道路を横断しようとしているときは、その自転車横断帯の手前で徐行しなければならない。

問42 図8のような交通整理の行われていない道幅が同じような交差点では、A車はB車の進行を妨げてはならない。

図8

問43 一般原動機付自転車に乗るときは、工事用安全帽であっても、必ずかぶって運転しなければならない。

問33
転倒時に身を守るため、体の露出が少ない服装をし、プロテクターを着用します。

P.96 NO.73

 問34
黄色の灯火の矢印は路面電車専用で、自動車や一般原動機付自転車は進んではいけません。

P.12 NO.1

問35
一般原動機付自転車は、原則として道路の左側に寄って通行しなければなりません。

P.78 NO.52

問36
運転中のスマートフォンなどの使用は、通話に限らずメールの読み書きも禁止されています。

P.109 NO.86

問37
「車両（組合せ）通行止め」の標識で、図7では自動車と一般原動機付自転車は通行できないことを表しています。

P.21 NO.7

問38
交差点を避け、道路の左側に寄って一時停止しなければなりません。

P.87 NO.63

問39
50メートル先が見えない場所では、昼間でもライトをつけなければなりません。

P.121 NO.96

問40
危険な場所でなければ、道路外に出て衝突を回避します。

P.113 NO.90

問41
徐行ではなく、自転車横断帯の手前で一時停止しなければなりません。

P.73 NO.47

問42
設問の交差点では左方のA車が優先するので、B車はA車の進行を妨げてはいけません。

P.39 NO.16

問43
工事用安全帽は乗車用ヘルメットではないため、運転してはいけません。

P.96 NO.73

Part 2 実力をチェックしよう 第1回 模擬テスト

問44 速度の出しすぎ、急ハンドルまたは急加速は、横すべりの原因になる。

問45 運転中に大地震が発生して車を駐車するときは、できるだけ道路外に行う。

問46 夜間、交通量の多い市街地の道路では、前照灯を上向きにしたまま、前方をよく注意して運転する。

問47 時速30キロメートルで進行しています。どのようなことに注意して運転しますか？

(1) 自転車は、路地から出てくる車を避けるため道路の中央に進路を変更するかもしれないので、交差点を過ぎるまで自転車のあとについて進行する。

(2) 路地から出てくる車は止まって待っていると思うので、自転車との間隔をあけ、早めに交差点を通過する。

(3) 自転車と路地から出てくる車は、進行の妨げになるおそれがあるので、警音器を鳴らして、このままの速度で進行する。

問48 時速30キロメートルで進行しています。どのようなことに注意して運転しますか？

(1) 対向車がないので、センターラインを越えて追い越しを始める。

(2) 前のタクシーは急に発進するかもしれないので、速度を落として進行する。

(3) 後方の車は追い越しをしようとしているので、速度を落として進行する。

問44

設問のような横すべりの原因になる運転はしないようにします。

ここで覚えよう！

問45

緊急通行車両の通行の妨げにならないように、できるだけ道路外に駐車します。

P.110
NO.
87

問46

他の交通に迷惑になるので、交通量の多い市街地の道路では前照灯を下向きに切り替えて運転します。

P.122
NO.
97

問47

注目するのはココ！

左前方の自転車の進路　　左の路地の車の動き

(1)

自転車は、前方の車を避けるため、自車の前方に出てくるおそれがあります。

(2)

左側の車は、止まってくれるとは限りません。速度を落として注意しながら進行します。

(3)

警音器は鳴らさず、速度を落として進行します。

問48

注目するのはココ！

前方のタクシーから降りる客　　右バックミラーに映る車の動き

(1)

追い越しをしようとしている後続車に接触するおそれがあります。

(2)

タクシーの急発進に備えて、速度を落として進行します。

(3)

後続車の追い越しに備えて、速度を落として進行します。

⏰ 本試験制限時間：30分　🎤 合格点：45点以上

それぞれの問題について、正しいと思うものには○、誤っていると思うものには✕で答えなさい。

問1 ☐☐
交通事故が起きた場合、その責任は事故を起こした運転者だけが負うべきで、車のかぎの管理が悪く勝手に持ち出されて起きた事故は、持ち主に責任はない。

問2 ☐☐
一般道路で追い越しをするとき、一時的であれば法定速度を超えてもよい。

問3 ☐☐
図1の標識があったが、通行する車がなく人もいなかったので、警音器を鳴らしながらそのままの速度で通行した。

図1

問4 ☐☐
二輪車の運転は、身体で安定を保ちながら走り、停止すれば安定を失うという特性があり、四輪車とは違った運転技術が必要である。

問5 ☐☐
追い越し禁止場所では、自動車や一般原動機付自転車を追い越してはならないが、軽車両であれば追い越してもよい。

問6 ☐☐
二輪車を運転中、四輪車から見える位置にいれば、四輪車から見落とされることはない。

問7 ☐☐
夜間、対向車と行き違うときは、自分の車と対向車のライトで道路の中央付近の歩行者が見えなくなることがあるので、速度を落としたほうが安全である。

問8 ☐☐
図2は、「停止禁止部分」の標示である。

図2

問9 ☐☐
交通事故で多量の出血があるときは、まず清潔なハンカチなどで止血するのがよい。

問10 ☐☐
2本の白の実線で区画されている路側帯は、その幅が広い場合であっても、その中に入って駐停車してはならない。

を当てながら解いていこう。間違えたら交通ルールに戻って再チェック！

正解 **ポイント解説** 配点：問1〜46➡1点　問47・48➡2点（3問とも正解の場合）

問1 ✕
持ち主は、車を持ち出されないように管理しなければならず、事故の責任が生じます。

P.108 NO.85

問2 ✕
追い越すときでも、法定速度を超えてはいけません。

P.61 NO.34

問3 ✕
図1の「徐行」の標識があるところでは、警音器を鳴らさずに徐行しなければなりません。

P.62 NO.36

問4 ◯
二輪車の運転は設問のような特性があり、四輪車とは違った運転技術が必要です。

ここで覚えよう！

問5 ◯
追い越し禁止場所であっても、自転車などの軽車両は追い越すことができます。

ここで覚えよう！

問6 ✕
四輪車の運転者が気づかなければ、見落とされることがあります。

P.107 NO.83

問7 ◯
自分の車と対向車のライトで道路の中央付近の歩行者が見えなくなる「蒸発現象」が起こることがあります。

P.123 NO.97

問8 ✕
図2は「立入り禁止部分」を表す標示で、停止禁止部分ではありません。

P.27 NO.10

問9 ◯
負傷者がいるときは、まず止血するなどの可能な応急救護処置を行います。

P.98 NO.75

問10 ◯
歩行者用路側帯なので、幅が広い場合でも中に入って駐停車してはいけません。

P.57 NO.30

問11 二輪車に乗るときは、衣服が風雨にさらされて汚れやすいので、なるべく黒く目立たない服装がよい。

問12 長い下り坂を走行中にブレーキが効かなくなったときは、ギアをニュートラルにするとよい。

問13 正面の信号が黄色の灯火の点滅を表示しているとき、車は必ず一時停止しなければならない。

問14 バスや路面電車の停留所の標示板(柱)から10メートル以内の場所は、運行時間外であれば駐停車することができる。

問15 図3のマークを付けている車は、聴覚に障害がある人が運転しているので、周囲の車は十分注意して運転する。

図3

問16 運転中は一点を注視しないで、前方を広く見渡すような目の配り方がよい。

問17 交差点の中で対面する信号が青色の灯火から黄色の灯火に変わったときは、必ずその場に停止しなければならない。

問18 踏切では、踏切内でのエンストを防ぐため、変速しないで発進時の低速ギアのまま通過する。

問19 二輪車を降りて押して歩く場合は、エンジンをかけたままであっても、歩道や横断歩道を通行することができる。

問20 図4の標識のある道路は、一般原動機付自転車も通行することができる。

図4

問21 霧のときは、霧灯や前照灯を早めにつけ、中央線やガードレール、前車の尾灯を目安に速度を落として走行し、必要に応じて警音器を使うようにする。

問11

視認性を高めるため、なるべく目につきやすい明るい色の服装で運転します。

P.97
NO.
74

問12

ギアをニュートラルにするとエンジンブレーキを活用できないので、低速ギアに入れます。
P.113
NO.
90

問13

必ずしも一時停止の必要はなく、車は他の交通に注意して進行することができます。
P.12
NO.
1

問14

バスなどの運行時間中は設問の場所では駐停車禁止ですが、運行時間外は禁止されていません。
P.54
NO.
28

問15

図3は「聴覚障害者マーク（標識）」を表し、車の運転者は十分注意して運転します。
P.75
NO.
50

問16

一点を注視すると危険なので、前方を広く見渡すように目を配ります。
P.102
NO.
78

問17

停止位置で安全に停止することができない場合は、そのまま進むことができます。
P.11
NO.
1

問18

踏切内で変速するとエンストするおそれがあるため、発進したときの低速ギアのまま一気に通過します。
P.116
NO.
92

問19

エンジンを切って押して歩かなければ歩行者として扱われないため、歩道などは通行できません。
P.71
NO.
44

問20

図4は普通自転車等及び歩行者等専用の標識で、一般原動機付自転車は通行できません。
P.21
NO.
7

問21

霧のときは見通しが極端に悪いので、霧灯や前照灯を早めにつけ、必要に応じて警音器を使用します。
P.125
NO.
99

問22 二輪車に荷物を積むときの幅は、荷台から左右にそれぞれ0.3メートルを超えてはならない。

問23 一般原動機付自転車で長い下り坂を走行するときは、前後輪のブレーキを主として使い、エンジンブレーキは補助的に使うのがよい。

問24 交通事故を起こしたときは、示談にすれば警察官に届けなくてもよい。

問25 走行中、スマートフォンなどに表示されたメールなどの画像を注視して運転してはならない。

問26 交差点で警察官が図5のような手信号をしているとき、身体の正面に平行する方向の交通は、青色の灯火信号と同じである。

図5

問27 道路に面した場所に出入りするため歩道や路側帯を横切る場合、歩行者がいないときは、必ずしも一時停止の必要はない。

問28 二輪車を運転してカーブを通行するときは、身体を傾けると転倒のおそれがあるので、身体はまっすぐに保ってハンドルを操作するのがよい。

問29 雨天のアスファルト道路は路面がきれいになるから、タイヤとの摩擦抵抗は大きくなり、晴天の場合より制動距離が短くなる。

問30 徐行しようとするときと停止しようとするときの手による合図の方法は同じである。

問31 図6の標識のあるところでは、車両の通行が禁止されているが、自転車であれば通行することができる。

図6

問32 横断歩道や自転車横断帯は、その中と前後30メートル以内が追い越し禁止である。

144

問22　荷台から左右にそれぞれ0.15メートルを超えてはいけません。

P.82 NO.56

問23　長い下り坂ではエンジンブレーキを活用し、前後輪ブレーキは補助的に使用します。

P.118 NO.93

問24　交通事故を起こしたときは、必ず警察官に届けなければなりません。

P.100 NO.77

問25　運転に集中できなくなり危険なので、スマートフォンなどの画像を注視して運転してはいけません。

P.109 NO.86

問26　警察官の身体の正面に平行する方向の交通については、青色の灯火信号と同じ意味を表します。

P.13 NO.2

問27　歩行者の有無にかかわらず、歩道や路側帯の直前で必ず一時停止しなければなりません。

P.68 NO.42

問28　カーブを通行する二輪車は、車体を傾けることによって自然に曲がるようにします。

P.120 NO.95

問29　雨天時はタイヤとの摩擦抵抗が小さくなり、制動距離は長くなります。

P.63 NO.38

問30　徐行と停止の手による合図の方法は同じで、腕を斜め下に伸ばします。

P.85 NO.60

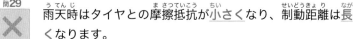問31　図6は「車両通行止め」を表しますが、自転車も車両に含まれるので通行してはいけません。

P.21 NO.7

問32　前後30メートル以内でなく、手前から30メートル以内が追い越し禁止です。

P.43 NO.19

145

問33 視力は、明るいところから急に暗いところに入ると低下するが、暗いところから急に明るいところに出るときは変わらない。

問34 交差点の手前に「一時停止」の標識があったが、停止線はなかったので、交差点の直前で停止して安全確認した。

問35 二輪車で四輪車の側方を通行しているときは、四輪車の死角に入り四輪ドライバーに存在を気づかれていないことがあるので、注意が必要である。

問36 図7の標識は「環状の交差点における右回り通行」を表し、環状の交差点であり、車は右回りに通行しなければならない。

図7

問37 二輪車を運転中、ギアをいきなり高速からローに入れるとエンジンを傷めたり転倒したりするので、減速するときは順序よくシフトダウンするようにする。

問38 車からたばこの吸いがら、紙くず、空き缶などを投げ捨てたり、身体や物を車の外に出したりして運転してはならない。

問39 一般原動機付自転車で交差点を直進するときは、前方の四輪車が急に左折するかもしれないので、四輪車の動向に十分注意する。

問40 薬は体調をよくするためのものなので、車を運転するときは、どんな薬でも飲んで安全な運転に備える。

問41 図8の標示は、道路の中央から右側部分にはみ出して通行できることを表す。

図8

問42 狭い山道での行き違いは、上りの車が下りの車に道を譲るようにする。

問43 車が進路を変えずに進行中の前車の前に出る行為は、追い越しではなく追い抜きになる。

146

問33 ✕ 明るさが急に変わると、視力は<u>一時急激に低下</u>します。 P.101 NO.78

 問34 ◯ 設問の場所では、<u>交差点の直前</u>で停止して安全を確かめます。 P.11 NO.1

問35 ◯ 二輪車は四輪ドライバーの<u>死角に入りやすい</u>ので、二輪の運転者は四輪車には十分注意が必要です。 P.107 NO.83

問36 ◯ 「環状の交差点における右回り通行」のある場所では、車は<u>右回り</u>に通行しなければなりません。 P.38 NO.15

問37 ◯ 減速するときは、順序よく<u>シフトダウン</u>するようにします。 ここで覚えよう!

問38 ◯ 他の人や車の<u>迷惑</u>になったり、自分の身が<u>危険</u>になったりする<u>設問</u>のような行為は、禁止されています。 P.106 NO.82

問39 ◯ 一般原動機付自転車は、四輪車の<u>接触</u>や<u>巻き込まれ</u>に十分注意しなければなりません。 ここで覚えよう!

問40 ✕ <u>睡眠作用</u>のある薬を飲んだときは、運転中に<u>眠気を催す</u>ことがあるので車を運転しないようにします。 P.107 NO.84

問41 ◯ 図8は「<u>右側通行</u>」を表し、対向車に十分注意し、<u>右側部分</u>にはみ出して通行できます。 P.28 NO.10

問42 ✕ 発進しやすい<u>下り</u>の車が停止して、<u>上り</u>の車に進路を譲るようにします。 P.118 NO.94

問43 ◯ 進行中の前車の前に出るとき、進路を変えるのが<u>追い越し</u>、進路を変えないのが<u>追い抜き</u>です。 P.42 NO.18

147

問44 合図の戻し忘れは、他の交通に迷いを与え危険を高めることになるので、その行為が終わったらすみやかにやめなければならない。

問45 二輪車のマフラーを取り外して運転しても走行には影響しないので、そのような改造をして二輪車を運転した。

問46 一般原動機付自転車を運転中、交通量が多かったので、速度を落として路側帯を通行した。

問47 時速30キロメートルで進行しています。どのようなことに注意して運転しますか？

(1) 歩行者がバスに乗ろうとして進路の直前を横断するかもしれないので、速度を落としてその動きに注意しながら進行する。

(2) 歩行者は自車に気づいていないと思われるので、警音器を鳴らして進行する。

(3) バスのかげから対向車が出てくるかもしれないので、バスの手前で止まれるように速度を落として進行する。

問48 時速30キロメートルで進行しています。交差点を通過するときは、どのようなことに注意して運転しますか？

(1) 左側の車が先に交差点に入ってくるかもしれないので、その前に加速して通過する。

(2) 対向する二輪車が先に右折するかもしれないので、前照灯を上下に切り替えて、そのまま進行する。

(3) 左の車は、自分の車が通過するまで止まっているはずなので、加速して通過する。

問44
合図は、行為が終わったら<u>すみやかに</u>やめなければなりません。

P.86 NO.61

問45
マフラーを<u>取り外す</u>と<u>騒音</u>が大きくなり、<u>他人に迷惑</u>をかけることになるので、<u>改造車を運転</u>してはいけません。

P.76 NO.51

問46
たとえ一般原動機付自転車でも、<u>路側帯を通行</u>してはいけません。

P.68 NO.42

問47

注目するのはココ!

左の歩道にいる歩行者の動き **バスの後ろにいる車の進路**

(1)
<u>左側の歩行者</u>の動きに注意して、速度を落とします。

(2)
<u>警音器</u>は鳴らさずに、速度を落として進行します。

(3)
バスのかげから<u>対向車が出てきて衝突する</u>おそれがあるので、速度を落とします。

問48

注目するのはココ!

左の路地の車の動き **対向する二輪車の動き**

(1)
<u>加速</u>して通過しようとすると、左側の車が交差点に入ってきたときに<u>衝突する</u>おそれがあります。

(2)
前照灯で合図をしても、二輪車は<u>停止する</u>とは限りません。

(3)
左側の車は、自車に気づかず<u>交差点に入ってくる</u>おそれがあります。

⏰ 本試験制限時間：30分　🎤 合格点：45点以上

それぞれの問題について、正しいと思うものには○、誤っていると思うものには✕で答えなさい。

問1 □□
自己中心的な運転をすると、他人に危険を与えるだけでなく、自分自身も危険になる。

問2 □□
深い水たまりを通ると、ブレーキに水が入って、一時的にブレーキの効きがよくなる。

問3 □□
一般原動機付自転車を運転中、一方通行路以外の交差点で右折しようとするときは、交差点の中心のすぐ外側を徐行する。

問4 □□
図1の標示は、前方の交差する道路に対して自分の通行しているAの道路が優先であることを表している。

図1

問5 □□
二輪車でカーブを走行するとき、クラッチを切ったり、ギアをニュートラルに変えたりするのは危険である。

A

問6 □□
ハンドルやブレーキが故障している車は、注意しながら徐行して運転しなければならない。

問7 □□
交通事故で負傷者がいる場合は、けがの程度にかかわらず、救急車が到着するまでの間はそのままにしておいたほうがよい。

問8 □□
気分が不安定なときやひどく疲れているとき、身体の調子が悪いときは、事故を起こしやすいので運転しないようにする。

問9 □□
図2の標識は、大型自動二輪車や普通自動二輪車で二人乗りをして通行してはいけないことを表している。

図2

問10 □□
警察官が交差点で灯火を横に振っている信号で、灯火が振られている方向に進行する交通は、黄色の灯火信号と同じ意味である。

を当てながら解いていこう。間違えたら交通ルールに戻って再チェック！

問1 ○
自己中心的な運転は、他人だけでなく、<u>自分にも危険が生じる</u>ことになります。

問2 ✕
ブレーキに水が入ると、一時的に<u>ブレーキが効かなくなる</u>ことがあります。

問3 ✕
一方通行路以外の交差点で右折するときは、交差点のすぐ<u>内側を徐行</u>します。
P.35 NO.13

問4 ✕
図1は「<u>前方優先道路</u>」の標示で、Aより前方の交差するほうが<u>優先道路</u>であることを表しています。
P.28 NO.10

問5 ○
カーブを走行するときは、ギアを<u>低速</u>に入れて<u>エンジンブレーキ</u>を活用します。

問6 ✕
ハンドルやブレーキが故障している車は、<u>修理しなければ</u>運転してはいけません。
P.105 NO.81

問7 ✕
医師や救急車が到着するまでの間に、止血など<u>可能な応急救護処置</u>を行います。
P.98 NO.75

問8 ○
気分や体調が悪いときは、運転に集中できなくなり<u>危険</u>なので、<u>運転</u>しないようにします。
P.107 NO.84

問9 ○
図2は、「<u>大型自動二輪車および普通自動二輪車二人乗り通行禁止</u>」を表します。
P.21 NO.7

問10 ✕
灯火が振られている方向に進行する交通は、<u>青色の灯火信号</u>と同じです。
P.13 NO.3

問11 片側3車線の交差点で、信号が「赤色の灯火」と「右向きの青色の灯火の矢印」を示している場合、普通自動車は矢印の方向に進めるが、一般原動機付自転車は進むことができない。

問12 坂道で行き違うとき、近くに待避所があれば、上りの車でも待避所に入り、下りの車に道を譲る。

問13 夜間、対向車のライトがまぶしいときは、それを見つめて、早くその光に慣れるようにしたほうがよい。

問14 図3のような道幅が違う交差点では、B車はA車の進行を妨げてはならない。

図3

問15 一般原動機付自転車は、ヘルメットをかぶれば二人乗りをすることができる。

問16 事故で頭部に傷を受けている場合は、救急車が来る前に病院へ連れて行ったほうがよい。

問17 二輪車を運転中、スロットルグリップのワイヤーが引っかかり、エンジンの回転数が上がったままになったときは、ただちに点火スイッチを切る。

問18 見通しのきかない交差点の手前では、必ず警音器を使用して、周囲に自分の車の存在を知らせなければならない。

問19 図4の標識のある道路であっても、一般原動機付自転車は時速30キロメートルを超える速度で運転してはならない。

図4

問20 停留所で止まっているバスの側方を通過するときは、「ひょっとしたら人が出てくるかもしれない」と予測することが必要である。

問21 交通規則を守って運転することは、交通事故を防止し、交通の秩序を保つことになる。

Am I doing it right?
これで合ってる?

Bend your knees and push forward on the chains.

膝を曲げて鎖を前の方に押してごらん

ブランコに乗った体が後ろに行くと、今度は前に進む勢いをつけるために
膝を曲げて鎖を押しますよね。この動作を英語で
'Bend your knees and push forward on the chains.'と言います。
遊具に乗る方法を外国語で説明するのは難しいかもしれませんが、
何度か遊びながら対話を繰り返すと、子どもも親も少しずつ慣れていくでしょう。

> 今日の
> 語句　**knee**〔名詞〕膝

I stopped!
とまったよ!

Put your feet on the ground to stop.

とめるときは、足を地面につけるんだよ

前後に揺れるブランコをとめるのは、思いのほかコツがいります。
子どもにブランコのとめ方を教えなくてはなりません。
ブランコをとめる方法を英語で説明するのは、それほど難しくありません。
'Put your feet on the ground（足を地面につける）.'と言えばいいのです。
子どもがここまでできるようになれば、ブランコをクリアしたと言えるでしょう。

今日の語句　**ground**〔名詞〕地面

問11 ◯ 一般原動機付自転車は、二段階右折の方法で右折しなければならないので進めません。

P.12
NO.
1

問12 ◯ 上り下りに関係なく、待避所がある側の車がそこに入って対向車に道を譲ります。

P.118
NO.
94

問13 ✕ ライトを見つめるのは危険です。視点をやや左前方に移し、目がくらまないようにします。

P.123
NO.
97

問14 ✕ 図3の交差点は幅が広い道路を通行しているB車が優先します。A車はB車の進行を妨げてはいけません。

P.39
NO.
16

問15 ✕ たとえヘルメットをかぶっても、一般原動機付自転車で二人乗りをすることはできません。

P.81
NO.
55

問16 ✕ 頭部を負傷している場合は、むやみに動かしてはいけません。救急車の到着を待ちます。

P.98
NO.
75

問17 ◯ 二輪車の場合は、ただちに点火スイッチを切って、エンジンの回転を止めます。

P.112
NO.
90

問18 ✕ 警音器は、指定された場所と危険を防止する場合以外は、むやみに使用してはいけません。

P.84
NO.
58

問19 ◯ 「最高速度50キロ」の標識があっても、一般原動機付自転車は時速30キロメートルを超えてはいけません。

P.61
NO.
34

問20 ◯ バスの前後を歩行者が横断することを予測して運転します。

ここで
覚えよう!

問21 ◯ 交通規則を守って運転することは、事故を防止し、秩序を保つことにつながります。

P.106
NO.
82

153

問22 二輪車の乗車姿勢は、両ひざを開き、足先が外側を向くようにしたほうがよい。

問23 急カーブや曲がり角では、速度を出して進行すると危険であるから、法定速度で通行する。

問24 図5は、準中型免許または普通免許を受けて1年未満の人が、準中型自動車または普通自動車を運転するときに表示するマークである。

図5

問25 雨降りや夜間など視界が悪いときは、前車がよく見えるように、晴れた日や昼間より前車に接近して運転したほうがよい。

問26 こう配の急な下り坂では徐行しなければならないが、こう配の急な上り坂では徐行する必要はない。

問27 夜間、二輪車を運転するときは、反射性の衣服や反射材の付いた乗車用ヘルメットを着用したほうがよい。

問28 道路の中央に黄色の実線が1本引かれているところを一般原動機付自転車で通行中、見通しがよかったので、追い越しのため道路の右側部分にはみ出して通行した。

問29 図6の標示は、転回禁止であることを示している。

図6

問30 道路の端から発進する場合は、後方から車が来ないことを確かめれば、とくに合図をする必要はない。

問31 二輪車のチェーンは、中央部を指で押したとき、ゆるみがなくピーンと張っているのがよい。

問32 横断歩道に近づいたとき、歩行者が手を上げて左側から渡ろうとしていたので、速度を落として横断歩道の直前で停止した。

154

問22 ✕ 両ひざでタンクを締め（ニーグリップ）、足先はまっすぐ前方に向けます。

 P.95 NO.72

問23 ✕ 法定速度とは限らず、その曲がり角に合った安全な速度で通行します。

 ここで覚えよう！

問24 ◯ 準中型免許または普通免許を受けて1年未満の人は、図5の「初心者マーク」を付けて運転します。

 P.75 NO.50

問25 ✕ 車間距離は多めにとり、前車の制動灯などに注意して運転します。

 ここで覚えよう！

問26 ◯ こう配の急な下り坂は徐行場所ですが、こう配の急な上り坂は徐行場所に指定されていません。

 P.63 NO.36

問27 ◯ 二輪車は見落とされやすいので、他の運転者から発見されやすい服装や装備で運転します。

 P.97 NO.74

問28 ✕ 黄色の実線があるところでは、追い越しのため道路の右側部分にはみ出して通行してはいけません。

 P.47 NO.23

問29 ◯ 図6は「転回禁止」の標示で、その場所では転回（Uターン）してはいけません。

 P.26 NO.10

問30 ✕ 道路の端から発進する場合は右へ進路を変えるのと同じであり、右合図が必要です。

 ここで覚えよう！

問31 ✕ 二輪車のチェーンにゆるみがないと切れるおそれがあるので、チェーンには適度なゆるみが必要です。

 P.104 NO.80

問32 ◯ 横断歩道を歩行者が横断しようとしているときは、その直前で停止します。

 P.73 NO.47

Part 2 実力をチェックしよう 第3回 模擬テスト

問33 前方の交差点で警察官が信号機の信号と異なる手信号をしていたが、前方の信号の表示が青色の灯火であれば、ほかの交通に注意して進行することができる。

問34 図7の標識は、一般原動機付自転車が右折するとき、交差点の側端に沿って通行し、二段階右折をしなければならないことを表している。

図7

問35 信号の青色の灯火は進めの命令であるから、対面した車は、前方の交通に関係なく発進するべきである。

問36 車の右側に3.5メートル以上の余地がない道路に、荷物の積みおろしで運転者がすぐ運転できる状態で、10分間駐車した。

問37 踏切の信号機が青色の灯火を表示していても、車は直前で一時停止しなければならない。

問38 車を運転するときは、道路や交差点の状況を確実に認知しないと安全な運転はできないが、認知の大半は見ることにより得られるので、人の感覚の中で視覚が最も重要である。

問39 図8の標識のあるところでは、車は左折しかすることができない。

図8

問40 交差点で右折しようとしたとき、対向する右折車のかげに自動二輪車が見えたが、速度も遅く遠くに見えたのでそのまま進行した。

問41 二輪車を運転中、ハンドルを切りながら前輪ブレーキを強くかけると転倒しやすい。

問42 横断歩道の手前に停止している車があるときは、車のかげから歩行者が急に飛び出してくるおそれがあるので、前方に出る前に徐行して安全を確かめなければならない。

問43 車の所有者は、酒を飲んでいる人や無免許の人に車を貸してはならない。

問33 ✕
警察官が信号機と異なる手信号をしている場合は、<u>警察官の手信号</u>に従います。

P.14 NO.4

問34 ◯
図7は「<u>一般原動機付自転車の右折方法（二段階）</u>」を表し、一般原動機付自転車は交差点で<u>二段階右折</u>しなければなりません。

P.17 NO.6

問35 ✕
交差点の先が混雑していて、そのまま進むと<u>交差点内で停止</u>するおそれがあるときは、発進してはいけません。

P.14 NO.4

問36 ◯
荷物の積みおろしで運転者がすぐ運転できる状態の場合は、<u>3.5メートル以上の余地</u>がなくても止められます。

P.55 NO.29

問37 ✕
青色の灯火信号を表示している踏切では、左右の安全を確かめれば<u>一時停止</u>する必要はありません。

P.115 NO.91

問38 ◯
認知の多くは<u>見る</u>ことにより得られるので、車の運転で最も重要な感覚は<u>視覚</u>です。

ここで覚えよう！

問39 ◯
図8は「<u>指定方向外進行禁止</u>」で、<u>矢印の方向</u>しか進めないので<u>左折</u>しかできません。

P.40 NO.17

問40 ✕
二輪車は遠くに見えても<u>すぐ接近</u>してくることがあるので<u>一時停止</u>します。

ここで覚えよう！

問41 ◯
ハンドルを切りながら前輪ブレーキを強くかけると、<u>転倒しやすく危険</u>です。

ここで覚えよう！

問42 ✕
停止車両の前方に出る前に<u>一時停止</u>して、安全を確かめなければなりません。

P.73 NO.47

問43 ◯
設問のような責任は、<u>車の所有者</u>にも問われる場合があります。

P.107 NO.84

問44 原動機付自転車は、7時から9時まで、図9の通行帯を通行することができない。

図9

バス専用
7~9

問45 交差点付近以外の道路で緊急自動車に進路を譲るときは、必ずしも一時停止や徐行をしなくてよい。

問46 夜間は、昼間に比べて視界が悪く、歩行者や自転車などの発見が遅れるので、同じ道路でも昼間より速度を落として運転する。

問47 夜間、交差点を右折するため時速10キロメートルまで減速しました。どのようなことに注意して運転しますか？

(1) 自転車は、右側の横断歩道を横断すると思われるので、交差点の中心付近で一時停止して、その通過を待つ。

(2) 前方の状況がよくわからないので、対向車のかげから二輪車などが出てこないか、少し前に出て一時停止し、安全を確認する。

(3) 右側の横断歩道は自分の車が照らす前照灯の範囲の外なので、その全部をよく確認する。

問48 時速30キロメートルで進行中、駐車車両のある見通しの悪いカーブにさしかかりました。どのようなことに注意して運転しますか？

(1) 駐車車両でカーブの先が見えないので、対向車に注意しながら、減速して進行する。

(2) 自転車が急に横断するかもしれないので、警音器で注意を促し、加速して通過する。

(3) 駐車車両のかげから、歩行者が飛び出してくるかもしれないので、中央線を大きくはみ出して進行する。

158

That looks really hard!
とっても難しそう!

Do you want to climb across the monkey bars?

雲梯、やりたい?

子どもたちは、力がつくほど、もっと難しい遊具に挑戦したがるでしょう。
両腕で体重を支えながら前に進む雲梯 (monkey bars) は難しい遊具ですが、
子どもたちは、力が不十分でも試したくなるものです。
雲梯をするときには、一方の端からもう一方の端へ渡りますが、
これを表現するときには climb across と言います。

今日の
語句　**across**〔副詞〕渡って

Is this how you do it?
こうするの?

Grab the next bar and hold on tight.

次の棒をつかんで、しっかり握ってごらん

雲梯は一列に並んだ棒 (bar) をひとつひとつ握りながら前に進んでいきます。
やり方を子どもに教えながら、一緒に遊ぶこともできますね。
'Grab the next bar and hold on tight (次の棒をしっかり握って).' と説明してあげましょう。

 今日の語句 **next** 〔形容詞〕次の

Yes! Please catch me!
うん！ 抱っこして！

Do you want me to catch you?

抱っこしようか？

子どもが遊具から落ちそうで心配なときがあります。
でも、子どもはママやパパの手助けなしに、地面に着地したいかもしれません。
むやみに手出しをする前に、確認してみるのがよいでしょう。
そのようなとき 'Do you want me to catch you?' と尋ねてみましょう。

今日の
語句　**catch** 〔動詞〕受け止める

I'm trying to do my best!
がんばってるもん!

You're so strong!

すごい力持ちだね!

公園に行くたびに、子どもの筋肉がだんだん発達し、遊べる遊具も
楽しみ方も少しずつ増えていきます。
親も気づかないうちに子どもの力が強くなって、驚くこともありますね。
そんなときには、子どもをほめてあげます。
'You're so strong!'と言ってみましょう。

今日の
語句 | **strong** 〔形容詞〕強い

Okay.
I'll wait my turn.
わかったよ。自分の番まで待つね

Wait your turn.

自分の番まで待とうね

遊具で楽しく遊ぶのもよいですが、
ほかの子どもたちへの思いやりも学びましょう。
遊具を使う順番のような基本的マナーを早めに両親が教えてあげなくては、
ケンカになることもあります。もし、子どもが割り込みをしそうになったら
'Wait your turn (自分の番まで待とうね).' と教えてあげましょう。

| 今日の語句 | **turn**〔名詞〕順番 |

Just one more minute!
もう1分だけ!

Let the other kids play on the swing.

ほかの子もブランコに乗せてあげようね

子どもは遊具に夢中になると、時が経つのを忘れることがあります。
でも、あまりに熱中しすぎると、遊具の順番を待っているほかの子を
長く待たせることになるかもしれません。一緒に楽しく遊ぶ場所なのですから、
ほかの子どもたちも遊べるように、思いやりを教えるのがよいでしょう。
そのようなときには、'Let the other kids play on the swing.'と伝えます。
ここでletは、「〜をさせてあげる」という意味です。

今日の語句	kid〔名詞〕子ども

Is it my turn?
わたしの番?

Honey, it's your turn to go down the slide.

ほら、すべり台、きみがすべる番だよ

子どもは、ほかの子どもたちと遊びながら、
順番に関するマナーを身につけていきます。
マナーが身につくまでは、そばで教えてあげましょう。
また、子どもはすべり台をすべる順番が来てもわからないことがあります。
そんなとき 'It's your turn to go down the slide.' と言ってあげましょう。
自分の順番が来たら、とても喜ぶでしょうね!

 今日の
語句

honey 〔名詞〕子どもなどに用いる呼称 (愛情表現)

Can I have a shovel?
シャベル、
取ってもらってもいい?

Do you want to play in the sandbox?

砂場で遊ぶ?

公園の中には、砂遊びができるように
砂場が設置されているところがあります。
そこで子どもたちは、シャベルを使って遊んだり、
砂の城 (sandcastle) をつくったりして遊びます。
砂場で遊ぶことは play in the sandbox と言います。
砂場の「中」で遊ぶため、必ず in を使わなくてはいけません。

今日の
語句 **sandbox** 〔名詞〕砂場

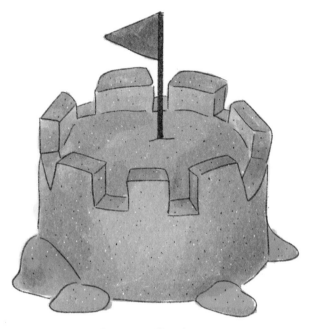

Do you like it?
いいと思う?

Did you build a sandcastle?

砂のお城をつくったの?

砂場では砂で好きなものをつくりながら、創意性を発揮することができます。
いちばん手軽で簡単な遊びは、砂の城をつくることでしょう。
砂の城をつくったり壊したりする過程を繰り返していると、
だんだん上手につくれるようになり、
もっと大きくてすてきなお城ができあがったりもします。
日本語では砂の城を「つくる」と言うので
make (つくる) を使いがちですが、build (建てる) を使うのが自然です。

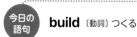

今日の
語句　**build** 〔動詞〕つくる

I'll be careful.
気をつけるよ

Watch out for the other kids.

ほかの子たちに気をつけてね

天気がよいと、たくさんの子どもたちが公園に遊びに来ます。
子どもたちがたくさんいると、ぶつかったり転んだりもしやすいでしょう。
そんな危険がある混雑した状況では
'Watch out for 事物 / 人など（〜に気をつける）.' を使います。
公園以外の場所でも使える便利な表現です。
駐車場にいるときには 'Watch out for the cars.' と言うことができます。

 今日の
語句　**watch out**〔句動詞〕気をつける

I want to go home.
おうちに帰りたいよ

Are you ready to go home now?

おうちに帰ってもいいかな?

元気いっぱいだった子どもたちも、公園で楽しく遊んでいると疲れてくるものです。
そんなとき、子どもに 'Are you ready to go home now?' と聞いてみましょう。
そう聞かれた途端、子どもは自分の気持ちを表すはずです。
家に帰りたくなければ、好きな遊具へ駆けていくでしょうし、
疲れたなら、とぼとぼとママやパパのところに来て抱っこをせがむでしょう。

今日の語句 **home**〔副詞〕家へ

🍀 オリバー先生の語学の話イロイロ③

子どもをバイリンガルに育てるために

　ぼくはアメリカ人、妻は韓国人だから、娘のチェリーに英語と韓国語を学ばせるのは簡単だと思う人もいるでしょう。けれど、子どもをバイリンガルに育てるのは意外と難しいものなんです。

　チェリーは英語圏（アメリカ）で暮らしているので、英語を身につけるのにとても有利な環境です。そこでわが家では、子どもの前ではつねに韓国語で会話し、子どもにも韓国語で話しかけることにしました。チェリーがまだ、まったく言葉を話せなかったときからです。

　わが家の子育ての状況は少し特殊に見えるでしょうか？でもちょっとだけ考えてみれば、そうではないとわかるはずです。日本で子どもを育てている親の多くが、子どもに英語を学ばせているように、わが家では子どもに韓国語を教えている、というだけのことです。ぼくたちが、英語が母国語のアメリカ社会で子どもに韓国語を学ばせているのと同様に、みなさんは、日本語が母国語である日本社会で、子どもに英語を教えているのです。アメリカで韓国語を教えることが簡単ではないように、みなさんが日本で英語を教えるのも簡単ではないでしょう。

P358に続く

OCTOBER

ENCOURAGEMENT

その子なりのスピード

10月

子育てをしていると、つい焦ってしまうことも。
ほかの子よりしゃべりだすのが遅いときや、背が小さめなとき、
親はつい落ち込んでしまいますよね。
でも、どんな子にも、その子なりの成長スピードがあるんです。
成長が遅いところがあったとしても、
別の分野では驚くべき才能を見せることもあります。
今月は子どもたちをあたたかく勇気づける表現を集めました。

10月の音声

右記を読み取ると
日付が選択できます

It's okay if you're tired.

疲れちゃったんだね

子どもは睡眠の重要性を知らないので、
疲れていてもだだをこねて寝るのをいやがります。
大声を出したり、機嫌が悪くなったりもします。
さらにだだをこねる前に、寝てもいいんだよ、となだめて寝かせましょう。

今日の語句	**tired** 〔形容詞〕疲れた

It's okay if you want to go to bed early.

早くベッドに入りたいんだね

子育ての中で、食事と同じくらい気を使うのが睡眠習慣でしょう。
子どもに規則的な睡眠習慣ができれば、子どもはもちろん、ママとパパも楽になります。
ところが、子どもが急激に成長する時期は、いつもよりエネルギーをたくさん消費するので、
普段より早く寝たがることもあります。
そんなときは、こう声をかけて、子どもの生活リズムに合わせて早く寝かせましょう。

今日の
語句　**early**〔副詞〕早く

It's okay if you can't fall asleep.

眠たくないんだね

子どもをベッドに寝かせたらすぐ眠ってくれるのが理想的ですが、
背を向けてドアを閉めた瞬間、目を覚まして泣き出すこともあります……。
それでも、もどかしい気持ちは表に出さずに、もう少し遊んであげましょう。
少し遊んであげれば、子どもはじきに疲れて眠くなるでしょうから。

今日の語句 **fall asleep** 〔句動詞〕眠りにつく

It's okay if you fall down.

転んでも大丈夫

歩きはじめたばかりの子どもはよく転びます。
自転車に乗る練習をする子どもも同じです。
失敗して転ぶと、子どもが腹を立てて泣き出すこともあります。
こんなときは、なぐさめの言葉が必要ですよね?
子どもが100回転んだとしても、そばでエールを送り続けましょう。
励まされて大きくなった子どもは、失敗への恐怖に打ち勝てるはずですよ。

 今日の
語句　**fall down**〔句動詞〕転ぶ

It's okay if you need to crawl instead of walk.

歩くかわりに、ハイハイしたいんだね

歩きはじめたばかりの子どもは、何度も転ぶせいで、諦めてハイハイしたがることがあります。
ママとパパは早く歩く姿を見たいでしょうが、
子どもには練習よりも時間が必要なのかもしれません。
今すぐ歩けないとしても、歩くのはきっと時間の問題ですよ。
子どもを急かすかわりに、励ましましょう。
ここでの instead of～ は～のかわりにという意味です。

今日の語句 **crawl** 〔動詞〕ハイハイする、這う

It's okay if you're not as fast as the other little ones.

ほかの子たちより遅くても大丈夫だよ

よその子に会うと、ついうちの子と成長スピードを比べてしまいます。
でも、子どもは常にママとパパの反応をうかがおうとするので、
ガッカリした気持ちを悟られてはいけません。
遅かったり早かったりするだけで、いつかはできるようになります。
だから、急かしたり、焦ったりする必要はありません。
ほかの子より遅くても大丈夫だよ、と声をかけてあげましょう。

 今日の語句 **little one** 〔複合名詞〕小さい子ども

It's okay if you can't hold your bottle.

哺乳びんが持てなくても大丈夫だよ

ママとパパの手伝いなしでは何もできなかった子どもにも、
少しずつ自分の力でできることが増えていきます。
でも、ときには手がうまく動かせないのか、コップを落としてしまったり、そのせいで
泣きだしてしまったりもします。それでも大丈夫。そういうこともありますから。
ひとりでできるようになるまで、ママとパパが助けてあげましょう。

今日の語句　**hold** 〔動詞〕持つ、握る

It's okay if you drop your snack.

お菓子を落としても大丈夫だよ

子どもが大人の手を借りずに、
自分でお菓子を食べると行って聞かないことがあります。
でも、気持ちとはうらはらに、床にお菓子を落としてしまうことも……。
床が汚れていなければ大丈夫ですから、
子どもに 'It's okay if you drop your snack.' と言ってあげてください。
床が汚れていたら、新しいお菓子をあげてもいいかもしれませんね。

 drop 〔動詞〕落とす

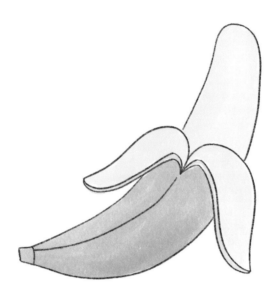

It's okay if you don't like bananas today.

今日はバナナが食べたくないんだね

最近まで大好きだった食べものを、突然、食べたがらなくなることもあるものです。
子どもが好きだからと、喜ばしい気持ちで準備したならガッカリもするでしょうが、
子どもにも好き嫌いを表現する自由があることを認めなくてはなりません。
意思表示をしても大丈夫だよ、と伝えるときは、
'It's okay if you don't like 〜（食べ物）today.' と言うことができます。

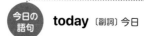
今日の語句　**today**〔副詞〕今日

It's okay if you spit up your food.

吐き出しても大丈夫だよ

子どもがおいしそうに食べる姿を見ると、ママとパパもおなかがいっぱいになります。
ところが、数分後、子どもが食べたものをすべて吐き出してしまったらどうしましょう?
こんなふうに、食べ物を吐き出すことを spit up と言います。
でも、あまり心配する必要はありません。
多くの場合は消化器官が大人ほど発達していないために起こる自然現象だそうです。

今日の
語句

spit up 〔句動詞〕(食べたものを)吐き出す、戻す

It's okay if you don't want to eat.

食べたくないんだね

子どもがごはんを食べないことがあります。
イスに座らせてもすぐに降りたがって、ぐずったりもします。
せっかくごはんを用意したママやパパは、傷ついたり、もどかしかったりするでしょうが、
こういったときは、子どもに無理やり食べさせる必要はありません。
あとで食べさせても大丈夫ですから。
もどかしさを表現するかわりに 'It's okay if you don't want to eat.' と言ってみましょう。

> **今日の語句**　**okay**〔形容詞〕大丈夫な

It's okay if you spill your juice.

ジュースをこぼしても大丈夫だよ

かわいい姿を写真に収めようと、お風呂に入れて、おしゃれもさせたのに
おっと、子どもが飲みかけのジュースを服にこぼしてしまいました。
服にもしシミでもできたらガッカリですよね……。
でも大丈夫です。こういうことは、子どもを育てる過程で何度も経験しますから。
子どもは悪くないので、ジュースを拭きながら、
'It's okay if you spill your juice.' と声をかけましょう。

 今日の 語句 **spill** 〔動詞〕こぼす

It's okay if you get food on your cute face.

かわいいお顔に食べ物がついても大丈夫

食事中、子どもはすぐ口のまわりを汚してしまいます。
最初は必死に拭いてやりますが、すぐにそれが意味のない行動であることに気がつきます。
子どもが食べ終わるまで待つほうがよいでしょう。
そんなときは 'It's okay if you get food on your face.' と言いながら、
その瞬間を楽しんでみてはどうでしょう。
「つく」という表現は、getで表すことができます。

 今日の語句　**cute**〔形容詞〕かわいらしい

問44
原動機付自転車、小型特殊自動車、軽車両は、<u>路線バス等</u>の専用通行帯を終日、通行できます。

P.31
NO. 11

問45 ◯
交差点やその付近以外では、<u>左</u>側に寄って緊急自動車に進路を譲ります。<u>一時停止</u>や<u>徐行</u>の必要はありません。

P.88
NO. 63

問46 ◯
夜間は、昼間に比べて視界が悪いので、昼間より<u>速度を落</u><u>として</u>運転します。

P.121
NO. 96

問47

注目するのはココ！

<u>横断歩道手前</u>の歩行者の動き　　<u>反対方向</u>から来る<u>自転車</u>の動き

<u>ライトの範囲外</u>の人などの有無　　<u>対向車のかげ</u>の状況

(1) ◯
自転車の横断に備えて、<u>一時停止</u>して通過を待ちます。

(2) ◯
二輪車などの飛び出しに備え、<u>一時停止</u>して安全を確かめます。

(3) ◯
ライトの<u>照らす範囲外</u>にも目を向けて、安全を確かめます。

問48

注目するのはココ！

<u>駐車車両</u>の先の状況　　<u>反対方向</u>から来る<u>自転車</u>の動き

<u>カーブの先</u>の対向車の有無

(1) ◯
対向車に十分注意し、<u>減速して</u>進行します。

(2)
<u>警音器</u>は鳴らさず、<u>減速</u>して様子を見ます。

(3) ✕
中央線を大きくはみ出すと、<u>対向車が来て衝突する</u>おそれがあります。

本書に関する正誤等の最新情報は、下記のアドレスで確認することができます。
https://www.seibidoshuppan.co.jp/info/menkyo-furiganag2402

上記URLに記載されていない箇所で正誤についてお気づきの場合は、書名・発行日・質問事項・ページ数・氏名・郵便番号・住所・FAX番号を明記の上、**郵送**または**FAX**で**成美堂出版**までお問い合わせください。

※ 電話でのお問い合わせはお受けできません。

※ 本書の正誤に関するご質問以外にはお答えできません。また、受験指導などは行っておりません。

※ ご質問の到着確認後、10日前後で回答を普通郵便またはFAXで発送いたします。

●**著者**

長 信一(ちょう しんいち)

1962年、東京都生まれ。1983年、都内の自動車教習所に入所。
1986年、運転免許証の全種類を完全取得。指導員として多数の合格者を送り出すかたわら、所長代理を歴任。現在、「自動車運転免許研究所」の所長として、書籍や雑誌の執筆を中心に活躍中。『赤シート対応 いきなり合格! 原付免許テキスト&速攻問題集』『赤シート対応 最短合格! 原付免許テキスト&問題集』『赤シート対応 完全合格! 普通免許2000問実戦問題集』(いずれも弊社刊)など、著書は200冊を超える。

●**本文イラスト**　　酒井 由香里
　　　　　　　　　　風間 康志
●**編集協力・DTP**　　ノーム(間瀬 直道・大澤 雄一)
●**企画・編集**　　　　成美堂出版編集部(原田 洋介・芳賀 篤史)

赤シート対応 フリガナつき! 原付免許ラクラク合格問題集
2024年3月20日発行

著 者　長 信一

発行者　深見公子

発行所　成美堂出版
　　　　〒162-8445　東京都新宿区新小川町1-7
　　　　電話(03)5206-8151　FAX(03)5206-8159

印 刷　大盛印刷株式会社

It's okay if you get mud on your butt.

おしりに泥がついても大丈夫だよ

　一歩外に出ると、そこには子どもの興味を引くものがたくさん。赤ちゃんのころから
外遊びをしている子どもは、大きくなっても自然を好きになる可能性が高いそうです。
裸足で芝生の上を歩き回っていて、転んでしまうこともあるでしょう。
ところで、子どもが転んだとき、おしりに泥がついてしまったらどうすればいいでしょう?
汚く見えても、泥はただの泥。あまり驚かないでくださいね。

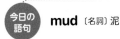

今日の
語句　**mud**〔名詞〕泥

It's okay if you wet your diaper.

おむつにおしっこをしても大丈夫だよ

トイレトレーニングがはじまると、子どもが神経質になることがあります。
この過程でうっかりおもらししてしまうと、
大きな罪悪感を抱いてしまうこともあるそうです。
まだトレーニング中なら、いつだって失敗する可能性はありますよね。
ママとパパも、子どもが罪悪感を抱くことは望んでいません。
子どもが落ち込んでいたら、'It's okay if you wet your diaper.' と声をかけてください。

今日の語句	wet 〔動詞〕ぬらす

It's okay if you smell a little.

少しくらい臭くたって大丈夫だよ

お風呂から出て、家中に広がるさわやかな香りが一日中続いたら、
どれほど幸せでしょうか。ところが、そんな思いとは裏腹に、
ベビーローションをぬってすぐに子どもがうんちをしてしまうこともあります。
そんなときは泣きたくなってしまうかもしれませんが、
子どもは賢いので、ママやパパの顔を見ただけで気持ちを読み取ってしまいます。
がんばって、顔には出さないようにしてみましょう。

今日の語句 **a little** 〔副詞〕少し

It's okay if you don't want to take a bath.

お風呂に入りたくないんだね

春の天気は変わりやすく、晴れていたのに、突然冷たい風が吹いたりします。
子どもの心は時々、そんな春の天気にそっくりです。
お風呂好きだった子どもが、急にお風呂をいやがるようになったりもしますね。
いやがる子どもを無理やり浴槽に入れると、大泣きして、
その日の夜ぐっすり眠れなくなってしまうかもしれません。
お風呂に入らなくてもいいよ、と伝えるときはこの表現を使ってみましょう。

 今日の
語句 **bath/take a bath** 〔動詞／句動詞〕風呂に入る

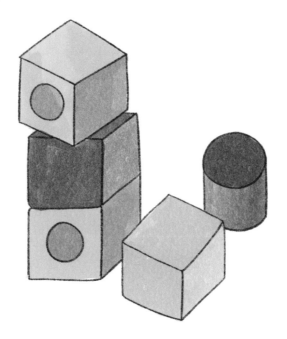

It's okay if you break your toy on accident.

間違えておもちゃを壊しちゃったんだね

子どもの筋肉は、思っているよりも早く発達します。
おもちゃで遊んでいて、うっかり壊してしまうこともあるでしょう。
モノを壊したら叱らなきゃいけないと思うかもしれませんが、
力をうまく調整できずに壊してしまったのかもしれません。
こんなときは on accident という表現を使い、
間違えてという部分を強調してあげましょう。

 今日の語句　**break**〔動詞〕壊す

313

It's okay if you tear your book on accident.

間違えて本を破っちゃったんだね

子どもの読む本は大抵、表紙が分厚くてしっかりしています。
どうしてこんな丈夫なつくりなのだろうと気になったら、
子どもに薄い本を持たせてみましょう。
たちまち本を破ってしまう子どもを見て、理由がわかったはずです。
紙をめくるのに慣れていないので、あちこち折れてしまうこともあるでしょう。
だけど、あまり叱らないであげてください。
じきに慣れて、1ページずつめくれるようになりますよ。

 今日の語句　**tear** 〔動詞〕破る

It's okay if you want to stay longer at the playground.

もう少し公園で遊んでいたかったら、そうしていいよ

公園に行くと、子どもは時間を忘れて遊びます。家に帰るのをいやがることもあります。
ママとパパは早く家に帰って休みたいと思うかもしれませんが、
子どもは遊びながら運動をして、ほかの子どもとの社会性を育みます。
遠慮なくもっと遊んでもいいよ、と声をかける際に使う表現です。
ここでの stay longer は、「もっと長くいる」という意味です。

 今日の
語句 　**stay** 〔動詞〕残る

It's okay if you don't know the alphabet yet.

まだ字が読めなくても大丈夫

うちの子は言葉も遅いし表現もつたないのに、ほかの子はおしゃべりも上手で、
ひらがなも読めると聞いたらつい焦ってしまいます。
でも、子どもにプレッシャーをかけてはいけません。
少しゆっくりに見えても、時間が経てばすぐできるようになりますから。
もう少し、時間が必要なだけなのです。
何より、子どもはひとりひとり、成長スピードが違うことを理解しましょう。

 今日の語句　**yet**〔副詞〕まだ

It's okay if you don't have many friends.

友達がたくさんいなくてもいいんだよ

どこに行っても、すぐに新しい友達ができる子がいます。
反対に、なかなか新しい友達ができない子もいます。
大人数で遊ぶのが好きな子もいれば、
少人数でじっくりとふれ合うのが好きな子もいます。
友達の多さが幸せを意味するわけではありませんよね。
友情は量より質ですから。

 many 〔形容詞〕たくさんの

It's okay if you want to go home early.

早くおうちに帰りたいんだね

子どもにせがまれて、一緒に公園にやってきました。
ところが、到着して5分も経たないうちに家に帰りたいと言い出すではありませんか?
子どもは、まだ表現力が乏しいので、
居心地の悪さをヘンテコな言葉で表現したりもします。
突拍子もない表現に腹を立てる前に、まず理由を考えてみましょう。
その努力はきっと、子どもに伝わりますよ。

 今日の語句　**go** 〔動詞〕行く

It's okay if you're a little shy.

恥ずかしがってもいいんだよ

活発で積極的な子どもがいる一方で、消極的で気の小さな子どももいます。
ときに、消極的な性格は否定的に描写されることもありますが、
私たち大人がひとりひとり、性格が違うように、子どもたちもさまざまです。
消極的な性格の子どもは、注意深くて慎重です。それぞれ違う子どもの性格を理解し、
子どもが自分の性格をポジティブに受け入れられるよう、サポートしましょう。

 今日の語句　**shy** 〔形容詞〕恥ずかしがりの、内気な

It's okay if you get a hole in your sock.

くつ下に穴があいたっていいんだよ

世界一かわいい子どものくつ下。
ぷくぷくの足を包み込むくつ下が、愛おしくてたまりません。
ところが、全力で走り回って遊んだからか、穴があいてしまいました。でも大丈夫。
穴があいたら、縫ったり、新しいものを買ったりすればいいんですから。
新しいくつ下の買い物を理由に、子どもとお出かけするのも楽しそうですね!

今日の語句　**hole** 〔名詞〕穴

It's okay if you want to cry.

泣いても大丈夫

子どもには何かにつけて、すぐ泣いてしまいます。
クレヨンを食べられないようにしても、コップを投げられないようにしても、
食卓の上に登れないようにしても、泣き出します。
思いどおりにならないから、悲しさともどかしさで涙が出るようです。
子どもがいつもご機嫌だったらいちばんいいでしょうが、
悲しくて涙が出る気持ちまで、ママとパパがどうにかしてあげることはできません。
子どもが遠慮なく感情を表現し、自ら泣きやむまで待ちましょう。

> **今日の語句** **cry**〔動詞〕泣く

It's okay if you're in a bad mood today.

今日はご機嫌ななめみたいだね

子どもの笑顔は、ママとパパの疲れや悩みをほぐしてくれます。
一日中、子どもの笑顔やかわいらしい笑い声を、見たり聞いたりしていたいと思うほど。
でも、ときには、気分が優れず、ふくれっ面をしている日もあります。
子どもの気分がよくないときは、ありのままを受け入れてあげましょう。
子どもは自分の気持ちを受け入れてもらえて喜ぶでしょうし、
ママとパパも、余計な心配をしなくてすみますよ。

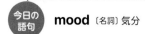 **mood**〔名詞〕気分

It's okay if you don't want to hold my hand.

手をつなぎたくないんだね

子どもは思った以上に多くのことを、ママとパパの助けなしにひとりでしたがります。
道がでこぼこだから転ばないように手をつなごうとすると、
手を振り払うこともあります。子どもの行動に傷つくかもしれませんが、
子どもには、親の気分を悪くしようという意図はありません。
駐車場や人の多い場所でなければ、できるだけたくさんの自由を与えてあげましょう。
自由を満喫して満足すれば、ある瞬間、
子どものほうから手をつなごうとするはずですから。

今日の
語句

my 〔所有限定詞〕私の

323

It's okay if you don't want to see your friend.

お友達に会いたくないんだね

子どもがお友達と遊んでいる姿を見ると、とてもうれしくなります。
社会性を育む姿に、つい笑みがこぼれますよね。
でも、子どもにだって、お友達と遊ぶかわりにひとりで遊びたいときがあります。
お友達と遊びたがらない姿にもどかしさを感じるかもしれませんが、
子どもの気持ちや意思を尊重しましょう。
家で静かに遊ぶ日もあれば、お友達と楽しく遊ぶ日もありますから。

今日の語句 **see** 〔動詞〕見る、会う

It's okay if you don't want me to put lotion on you.

ベビーローションをぬるのがイヤなんだね

この世でもっともやわらかいものといえば、赤ちゃんの肌ではないでしょうか。
大事な肌を守るために、お風呂上がりにはベビーローションをぬります。
ところが、子どもがベビーローションをぬりたくないとぐずるかもしれません。
ベビーローションの香りや、ベタベタする感覚をいやがることもあります。
むやみに子どもにストレスを与える必要はありません。
子どもがベビーローションをいやがったら、こう声をかけましょう。

今日の語句	**lotion** 〔名詞〕ベビーローション、化粧水

It's okay if you're afraid of the dark.

暗闇がこわいんだね

暗闇が平気だった子どもも、
想像力の発達によって暗闇をこわがるようになることがあります。
アメリカでは、幼いころからママとパパと離れて寝るトレーニングをしますが、
暗闇をこわがるのは、アメリカの子どもたちにもよく見られる自然な現象です。
さらに子どもは、ママやパパからの共感を欲しています。
子どもの恐怖に理解を示すトーンで、なだめてあげてください。

今日の
語句　　**dark**〔名詞〕暗闇

NOVEMBER

IMAGINATIVE POWER

想像の翼を広げる会話

11月

子育てをしていると、子どもの想像力のおかげで
ありとあらゆるものがまったく新しく感じられたりします。
私たちも幼いころ、童話を読みながら愉快で不思議な想像をたくさんしましたよね。
ママとパパも一緒に想像の世界に入り込めば、さらに冒険が楽しくなり、
深く心を通わせられるでしょう。
今月は、子どもと一緒に想像力を働かせて、
おしゃべりできる表現を集めました。

11月の音声

右記を読み取ると
日付が選択できます

I hope not.
そうじゃないといいなぁ

Will a watermelon grow in your stomach if you swallow its seed?

種を飲み込んだら、おなかの中でスイカが成長するかな?

暑い夏の日、スイカを食べていると、
子どもが誤って種を飲み込んでしまうことがあります。
その種をゴクリと丸飲みしてしまったら、おなかの中でスイカが大きくなるでしょうか?
子どもに尋ねれば、夢中で想像を巡らすことでしょう。
おなかの中でスイカの芽が出るかどうかじっと考え込む姿は、
本当にかわいいでしょうね!

今日の語句　**seed**〔名詞〕種

I want to climb trees to look for fairies.

木に登って妖精を探したいな

Do fairies live in trees?

妖精たちは、木の中に住んでいるの?

童話には妖精がたくさん登場します。物語を通じて、
子どもたちは妖精の存在を知ります。
中には、妖精に会いたがる子も。実際に妖精を見ることはできませんが、
子どもと外で遊んでいるとき、妖精について想像することはできます。
空を飛び回る妖精たちはどこに住んでいるのか、おしゃべりしてみてください。
妖精が暮らす家を見つけられなくても、かわりにさまざまな鳥に出合えるでしょう。

 今日の語句　**tree** 〔名詞〕木

329

I think they do.
うん、きっと動くと思う

Do your toys come to life when you're asleep?

きみが眠っている間、おもちゃは勝手に動くのかな?

ぬいぐるみの目を見ると、本当に生きているように感じられることがあります。
私たちが眠っている間、ぬいぐるみは何をしているのでしょう?
誰も見ていない隙を見計らって、ほかのぬいぐるみとおしゃべりするのでしょうか?
それとも、夜空を飛びながら、街の様子を見て回っているのでしょうか?
come to life には、生きているように動くという意味があります。

 今日の
語句　**asleep**〔形容詞〕眠って、眠った状態で

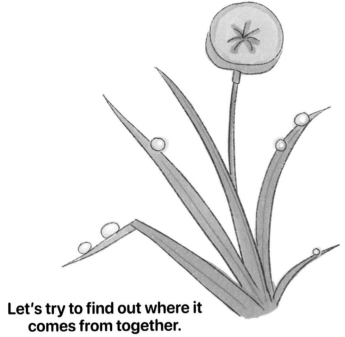

Let's try to find out where it comes from together.

露がどこから来るのか、一緒に調べてみよう

Where does dew come from?

露はどこから来るんだろう?

天気のいい日は、できるだけ子どもと外で遊べるといいですね。
外に出れば、空や雲、木を見ることができるし、朝には露に出合えるかもしれません。
子どもと一緒に、ぷるぷるした dew (露) を観察してみましょう。
そして、子どもが想像できるよう 'Where does dew come from?' と聞いてみましょう。
これをきっかけに、ほかの自然現象についても興味を抱くようになるかもしれませんよ。

> 今日の
> 語句　**from**〔前置詞〕〜から

Maybe Santa lives above the clouds.
もしかしたらサンタさんが
雲の上に住んでいるのかもよ

Who lives above the clouds?

雲の上には、誰が住んでいるの?

大空の下、子どもと一緒に寝転がって、ただよう雲を観察してみましょう。
綿のようにふかふかとした白い雲が、青空に浮かんでいる様子を見ると、
あんなことや、こんなことが思い浮かびますね。
地上からはよく見えないけれど、雲の上には何がいるんだろう?
子どもが想像できるように質問してみましょう。

今日の
語句 | **above** 〔前置詞〕~の上に

NOVEMBER
IMAGINATIVE
POWER ———————————————— 6

11
月

**I need to climb the
rainbow first.**
まずは虹にのぼらなきゃ

Can you go down a
rainbow like a slide?

すべり台みたいに、虹の上をすべれるかな?

はじめて虹を見た瞬間を覚えていますか?
美しい7色の虹のアーチを目にすると、うっとりして、ずっと頭の中に残ります。
虹の描く曲線が、まるですべり台のように見えたりもします。
虹のすべり台をすべったら、どんな気分になるでしょう?
子どもと一緒に虹のすべり台をすべることを想像するだけで、心がきれいに輝くようです。

ヒント すべり台をすべることをgo down a slideと表現します。

今日の
語句 **like** 〔前置詞〕～のように

333

Maybe there's an angel.
きっと、天使が
いるんじゃないかな

What's at the end of a rainbow?

虹の端には、何があると思う？

虹は、どこからはじまってどこで終わるのでしょうか？
子どものころ、何より気になっていたことでした。
さわれば答えがわかる気がして、虹が見えるほうに走ったこともありました。
きっと私のような子どもがたくさんいるはずです。
もちろん、虹にさわることはできないでしょうが、
このテーマでおしゃべりすれば、盛り上がること間違いなしですよ。

今日の
語句 **end** 〔名詞〕終わり、端

I think the sun is too hot for birds.
太陽は、鳥には熱すぎると思う

Can birds fly all the way to the sun?

鳥は太陽まで飛んでいけるかな?

鳥が羽を広げて自由に空を飛び回る姿は、大人にとっては見慣れていて
当然のように見えるかもしれませんが、子どもにとっては本当に不思議な光景でしょう。
空は終わりがないように見えるので、
鳥がどこまで飛んでいけるのか想像してみたりします。
子どもと一緒に想像できるように 'Can birds fly all the way to the sun?' と聞いてみましょう。

今日の語句 **sun**〔名詞〕太陽

335

I think it rains when clouds sweat.
雲が汗をかくと、雨が降るんだと思う

Does it rain when clouds cry?

雨が降るのは、雲が泣いているから?

　　雲から雨が落ちる様子をはじめて見た子どもは、とても不思議がるでしょう。
どうして雨が降るのか聞きたがります。科学的な説明をするにはまだ幼いなら、
想像を膨らませられるように 'Does it rain when clouds cry?' と聞いてみましょう。
質問された子どもは、なぜ雲が泣いているのか問い返すかもしれませんし、
もっと創造的なアイデアを出すかもしれません。

今日の
語句　**when** 〔関係副詞〕～すると、～するとき

Maybe it feels like a pillow.
きっと枕のような感じだと思う

What would it feel like to walk on a cloud?

雲の上を歩いたら、どんな感じがするかな?

晴れた日、飛行機に乗って窓の外を見ると、
雲がまるでふかふかした布団のように見えます。
雲の上を歩くとどんな感じがするか、つい想像してしまいますよね。
子どもと一緒に飛行機に乗ったことがなかったら、
雲の上から撮った写真を見ながらおしゃべりしましょう。

今日の語句	feel 〔動詞〕感じる

Maybe a dragon lives at the bottom of the sea.
海の底にはドラゴンがすんでると思う

What's at the bottom of the sea?

海の底には何があるかな?

深い海の中は、暗くて底が見えません。広くて青い海の中には何がすんでいるのか、
おもしろい考えが頭を巡ります。魚が泳いでいるでしょうか?
ひょっとして、モンスターや誰も見たことのない生命体がすんでいるかもしれません。
子どもに 'What's at the bottom of the sea?' と聞いて、おしゃべりしてみましょう。

今日の
語句　**sea**〔名詞〕海

Yes. I can hear it at night.

うん。夜にモンスターの声が聞こえるもん

Does a monster live under your bed?

きみのベッドの下にモンスターはすんでいるのかな?

子どもの想像力が発達すると、
存在しない何かを思い浮かべながら、こわがることもあります。
子どもの恐怖に寄り添えるように質問を投げかけてみましょう。
子どもが何を想像しているのかわかれば、落ち着きを取り戻して
ぐっすり眠れる方法も見つけられるかもしれませんから。

今日の
語句　**monster** 〔名詞〕モンスター

It looks like delicious cheese!
おいしいチーズに見える!

Is the Moon made of cheese?

月はチーズでできてるの?

夜遅くまで子どもが眠れないようだったら、
一緒に夜空に輝く月を眺めてみてはどうでしょうか。
月は何でできているか想像して、おしゃべりするのも楽しそうです。
西洋では、月はチーズでできていると子どもに冗談を言ったりもします。
うちの子は、どんな想像を巡らすでしょう?
ほんのりと光る月を見ながら想像の翼を広げれば、すぐ眠くなりますよ。

| 今日の 語句 | **moon**〔名詞〕月 |

Where did I come from?
わたしはどこから来たの?

Where do babies come from?

赤ちゃんはどこから来るのかな?

子どもが大きくなると、ほかの赤ちゃんに興味を示したり、
赤ちゃんがどこから来たのか聞きたがります。
まだ興味を示さないようなら、ママやパパが先に質問して
子どもが考えられるようにしてみましょう。
ここでの赤ちゃんは、特定の赤ちゃんをさすのではなく
一般的な子どもを意味するため、複数形を使ってbabiesと表します。

 今日の語句　**baby**〔名詞〕赤ちゃん

Yes. They always look at me.
うん。いつもわたしのことを見てるもん

Can the people on the TV screen see you?

テレビに映っている人たちに、きみは見えるかな?

子どもの中には、テレビに映る人たちが
自分のことを見ていると信じている子がいます。
だから、テレビの中の人に一生懸命挨拶をしたり、話しかけたりします。
こんなときは 'Can the people on the TV screen see you?' と聞くことができます。
さて、どんな答えが返ってくるでしょう?

今日の
語句　**screen** 〔名詞〕画面

Maybe that's why
it looks like a star.
だからヒトデは
星にそっくりなのかもね

Does a star become a starfish when it falls into the sea?

星は海に落ちたら、ヒトデになるの？

ヒトデは英語でstarfishと言いますが、実際にヒトデは星の形をしていますよね。
本当に、星と何か関係があるのでしょうか？　空から海に落ちたのでしょうか？
海へ行ってヒトデを見つけたら、一日中、このテーマについて
想像を膨らませておしゃべりができそうですね。

今日の
語句　**starfish**〔名詞〕ヒトデ

Maybe it tastes like ice cream.
アイスクリームの味が
するんじゃないかな

What does a cloud taste like?

雲はどんな味がするだろう?

雲を食べたら、どんな味がするでしょうか?
アイスクリームや綿あめと雲はそっくりなので、冷たくて甘く、
ふわふわしているような気がします。子どもたちも興味津々でしょうね。
今度、子どもと雲を観察することになったら、
'What does a cloud taste like?' をテーマに想像力を働かせましょう。

今日の
語句 **taste like** 〔句動詞〕〜のような味がする

Maybe alien children live there.
きっとエイリアンの子どもが住んでるんだよ

Who do you think lives on that star?

あの星には誰が住んでると思う?

子どもに星について説明することはできるでしょうが、
その星に誰が住んでいるかは、ママとパパもよく知りません。
私たちみんながよく知らない世界について想像することは、
とてもおもしろいことですね。思いもよらない話が飛び出すかもしれません!
'Who do you think lives on that star?' という質問で話をはじめましょう。

今日の語句　**star**〔名詞〕星

**I think so.
She always copies me.**
たぶんね。
この子、いつもわたしのまねをしてくるの

Does your twin live in the mirror?

鏡の中に、きみの双子の妹が住んでるの？

子どもが不思議そうな顔をして鏡の前に立っています。自分の姿を見ているのでしょうか？
それとも、自分のまねをする双子の妹だとでも思っているのでしょうか？
'Does your twin live in the mirror?' と質問すれば
子どもが何を考えているか聞くことができるでしょう。
鏡の中にいる子が本当に自分の姿なのかどうなのかを、確認しようとするでしょうね。

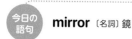 **mirror** 〔名詞〕鏡

The mermaid is right here!
人魚姫はここにいるよ!

Can you find a mermaid at the beach?

海辺に行ったら人魚に会えるかな?

童話にだけ登場する人魚に、実際に会うことはできるでしょうか?
キラキラ輝く海を見ていると、人魚がちゃぷんと出てくるような気がします。
水をこわがる子どもに 'Can you find a mermaid at the beach?' と質問してみましょう。
わくわくするような想像を巡らせていると、いつの間にか
こわいと思っていた気持ちも忘れてしまうかもしれません。

今日の
語句 **mermaid** 〔名詞〕人魚

347

**Let's look for
one to find out.**

探して、確かめてみよう!

Will a four-leaf clover
give you good luck?

四つ葉のクローバーは幸せをくれるかな?

公園に行って、子どもと一緒に芝生の上を歩きながらクローバーを探してみましょう。
運がよければ、四つ葉のクローバーが見つかるかもしれませんね。
夢中でクローバーを探すと汗をかくでしょうが、思い出もできます。
四つ葉のクローバーは、幸せを運んでくれると言われていますが、本当でしょうか?
楽しく四つ葉のクローバーを探しながら、子どもに聞いてみましょう。

> 今日の
> 語句　**luck**〔名詞〕運

Maybe the wind blows when a giant sneezes.
大男がくしゃみをしたら吹くのかもよ

Does the wind blow when someone sneezes?

誰かがくしゃみをしたら、風が吹くのかな?

風はどこから吹いてくるのでしょう。
ひょっとして、大男の大きなくしゃみではないでしょうか? 風が吹いたら、
子どもに 'Does the wind blow when someone sneezes?' と、聞いてみましょう。
風でボサボサになった髪の毛を見て、お互いにクスクス笑い合いながら、
楽しくおしゃべりができるでしょう。

 今日の
語句   **sneeze** 〔動詞〕くしゃみをする

**Maybe unicorn's farts
smell like candy.**
キャンディのにおいがするんじゃないかな

What do unicorn's farts smell like?

ユニコーンのおならは、どんなにおいだろう？

美しいユニコーンも、おならをするのでしょうか？　どんな音がするでしょう？
どんなにおいがするでしょう？　花の香りがするのでしょうか。
それとも、犬のおならのにおいと似ているのでしょうか？　子どもたちはおならが大好き。
想像上の動物のおならについて話したら、とても盛り上がるでしょうね。
ママとパパの口でおならの音をまねてみたら、きっと子どもが喜びますよ。

今日の
語句　**unicorn**〔名詞〕ユニコーン

**Yes. The sun needs
to sleep too.**
うん。太陽も寝なくちゃ

Does the sun go to
sleep at night?

太陽は夜になったら寝るのかな?

一日が終わりに近づくと、太陽が少しずつ沈んで夜がやってきます。
太陽はどこへ行くのでしょう。私たちのように眠るのでしょうか?
月に場所を譲ったあと、家に帰って休むのでしょうか?
おもしろい想像ができるよう、子どもに
'Does the sun go to sleep at night?' と聞いてみましょう。
愉快な想像を巡らせながら、目を輝かせる子どもの姿が見られるかもしれません。

今日の
語句 **night** 〔名詞〕夜

Of course they like being hugged.
もちろん好きだと思うよ

Do trees like being hugged?

木はハグされるのが好きかなぁ？

木は生命体ですが、動物のように目、鼻、口はありません。
だから、木が幸せなのか悲しいのか、見た目からはわかりません。
それでも、温かいハグは好きなのではないでしょうか？
木に歩み寄って、子どもと一緒にハグをして遊んでみましょう。
大きな木を抱きしめて喜ぶ、子どもの幸せな表情を見られるでしょう。

今日の語句　**like** 〔動詞〕（〜が）好き

Are fireflies made of fire?

ホタルは火でできてるのかな?

ホタルは英語でfireflyと言います。直訳すると「火のハエ」という意味になります。
暗闇の中でチカチカと輝くホタルは、大人と子どもとを問わず、
我を忘れて見つめてしまいます。
それより、なぜ英語で「火のハエ」と言うのでしょう。火でできているからでしょうか?
子どもがホタルを観察しながら、想像できるように質問を投げかけてみましょう。

今日の語句	**firefly** 〔名詞〕ホタル

Maybe they sing about flying.

空を飛ぶ歌を歌ってるんじゃないかな

What do birds sing about?

鳥はなんの歌を歌っているんだろう?

子どもたちは、思ったより耳がいいんですよ。
一緒に出かけると、一生懸命まわりの音を聞いて、分析します。
歌のように聞こえる鳥の声、車のクラクションの音、犬の鳴き声。
世界はおもしろい音でいっぱいです。
鳥はどんな歌を歌っているのでしょう?
空の上から見下ろした世界の様子について、子どもに聞かせているのでしょうか?

今日の
語句　**sing**〔動詞〕歌う

Kiss it so we can find out.
キスをして、試してみて

Will a frog turn into a prince if you kiss it?

カエルにキスをしたら、王子になるかな?

子どもと一緒に童話を読むと、普通は考えないようなことを考えるようになります。
話をするカエル、馬車に変身するカボチャ、城より長く伸びる髪の毛。
神秘的な話が、子どもの想像力を刺激します。
童話を読むのは、見知らぬ世界に旅立つ愉快な冒険のようです。
童話をもとに質問してみると、思いもよらない答えが返ってくるかもしれませんよ。

今日の語句 **prince** 〔名詞〕王子

355

I think they smell like flowers.
花のにおいがすると思う

Do butterflies smell like butter?

蝶からはバターの香りがするかな?

蝶は英語でバタフライ (butterfly) と言いますが、バターと関連があるのでしょうか。
ひょっとして、蝶はバターでできているのでしょうか?
まだら模様の蝶は種類も多様で
色もさまざまなので、それぞれ別の香りがするような気がしてきます。
蝶を捕まえて香りを嗅ぐことはできなくても、思いきり想像することはできますね。

今日の語句	**butter** 〔名詞〕バター

Let's shine a flashlight at that star to find out.
懐中電灯を照らして試してみよう

Can aliens see your flashlight?

エイリアンに懐中電灯の光が見えるかな?

夜空に向かって、懐中電灯を照らしてみたことはありますか?
理論的にいえば、障害物さえなければ光は宇宙まで届くでしょう。
空に照らした懐中電灯の光を、エイリアンたちも見ているでしょうか?
あるいは、光り輝く星は、ほかの星から誰かが照らした懐中電灯の光でしょうか?
懐中電灯をつけたり消したりすれば、エイリアンと会話できるような気がします。

今日の語句　**alien**〔名詞〕エイリアン

🍀 オリバー先生の語学の話イロイロ④

英語学習に大切な
ひとつのピース

　日本の多くの保護者とぼくたち夫婦は、同じ課題を抱えて生きています。母国語に大きく傾いている環境で、外国語を教えているのです。母国語以外の言語を習得するのが難しいことを反映するように、多くの親が子どもの英語教育に相当の時間と費用を注ぎ込んでいるのをあちこちで見かけます。ちまたに溢れる英語教材や安くはない英語教室を見ると、ひょっとしたら日本の親御さんたちのほうが、ぼくたちの何倍も熱心なのではという気もします。本当に尊敬しますし、すばらしいと思います。

　と同時に、ひとつピースが抜け落ちているような気もするのです。うんと小さくて費用もかかりませんが、語学の教育にはとても重要で、当然なくてはならないピースです。

　それは言葉に連なる親子の「ふれ合い」です。もしみなさんが、わが家と同じように「ふれ合い」を大切にするなら、この本に収めたさまざまな表現が、みなさん親子にとっても、よい役割を果たしてくれるのではないかと思います。

　すべてのママさんパパさんたち、
がんばりましょう！

DECEMBER

TENDER HEART

楽しい時間を分かち合う

12月

一年の締めくくりとなる12月は、
家族や友人と楽しい時間を過ごすかけがえのない月です。
楽しい活動をしながら、リラックスしておしゃべりできるよう、
あたたかくて幸せな年末にぴったりの表現を用意しました。
これらの表現を使って、
ずっと記憶に残る大切な思い出をつくれますように。

12月の音声

右記を読み取ると
日付が選択できます

**Yes!
And they fit
my hands perfectly!**
うん！　わたしの手にぴったり!

Did your grandmother make those fur gloves for you?

おばあちゃんがきみのためにつくった毛糸の手袋かな?

孫を思うおばあちゃんの気持ちは、思いやりに溢れていて温かいものです。
年末が近づくと、手袋やマフラーを編んで贈ってくれることもあります。
子どもにふかふかの手袋やマフラー、帽子などをプレゼントして、
それについて楽しくおしゃべりしてみましょう。
grandmother のかわりに、プレゼントした人の名前を入れることができます。

今日の
語句　**fur gloves** 〔複合名詞〕毛糸の手袋

**Can we knit
a winter hat next?**
次は帽子を編んでいい?

Let's knit a scarf together!

一緒にマフラーを編もう!

お店でマフラーを買うこともできますが
家族やお友達と一緒に、一からマフラーを編むのもとても楽しいですよ。
カラフルな毛糸から色を選ぶ楽しみも外せませんよね。
かわいらしいくまの顔や、花の模様を入れるのも楽しいでしょうね。
「編む」は、knitと言いますが、このときkの音は発音しないのがポイントです。

今日の
語句　**scarf** 〔名詞〕マフラー

They're a gift from my grandfather.
おじいちゃんからのプレゼントなの

Where did you get your snow boots? I like them.

そのスノーブーツ、どこで買ったの？　素敵だね

寒くなって雪が降ったら、あたたかいブーツの出番です。
スノーブーツを履いて雪を踏む子どもの姿は、本当に愛らしいですね。
子どもと靴をテーマにおしゃべりできるように、
'Where did you get your snow boots?' と聞いてみましょう。

> 今日の
> 語句　**boot**〔名詞〕ブーツ

**Could you please
zip up my zipper?**
チャックをしめてもらえる?

You better dress warm
before going outside.

出かけるときは、厚着をしたほうがいいよ

寒い冬が来ると、子どもが風邪を引かないように
dress warmという表現をよく使います。
厚着をすることを dress warmと言います。dressという単語のせいで
パーティーに着ていくような派手な「ドレス」をイメージするかもしれませんが、
ここでの dressは「服を着る」という意味です。

今日の
語句 outside 〔副詞〕外に

Yes! Of course!
うん！ もちろん!

Would you like some marshmallows in your hot chocolate?

ホットチョコレートにマシュマロを入れる?

ホットチョコレートは、冬に飲むとさらにおいしく感じられます。
外から帰ってきた子どもに、ほかほかのホットチョコレートを与えたら大喜び間違いなし。
マシュマロまでのせれば、まさに完璧そのものです。
料理や飲み物に何かを追加するか聞きたいときは、
'Would you like 〜（追加するもの）in your 〜（料理や飲み物）?' と表現できます。

今日の
語句 **chocolate** 〔名詞〕チョコレート

**Can we have
Grandmother's stew?**

おばあちゃんのシチューを
食べてもいい?

What kind of winter stew do you want for dinner?

夕飯はどんなシチューがいい?

アメリカでは、汁物の料理はあまり一般的ではありません。
それでも、寒い冬の日には、ほかほかのシチューを食べます。
とくにおばあちゃんの家でウィンターシチュー (winter stew) をよく食べるんですよ。
基本の材料はジャガイモ、ニンジン、タマネギ、肉です。
アメリカ式のシチューでなくても
体の温まる料理で雰囲気を演出できますよ。

| 今日の語句 | **stew** 〔名詞〕シチュー |

**My brother
helped me build it.**
お兄ちゃんが手伝ってくれたの

Did you build that gingerbread house?

きみがそのお菓子の家をつくったの?

アメリカの子どもたちはクリスマスの時期になると、
ジンジャーブレッドハウスというお菓子の家をつくります。
オーブンで焼いたジンジャーブレッドや、スーパーで売っているキットを使ってつくるのです。
アイシングでドアや窓を描いたり、
あめやチョコレートで飾りつけたりすれば子どもも喜びます。
今日は子どもと一緒にお菓子の家をつくってみてはどうでしょう?

今日の
語句 **house**〔名詞〕家

**I decorated it
with candy canes
and icing.**
キャンディケインとアイシングで
飾りつけたの

What kind of candy
did you decorate your
gingerbread house with?

どんなキャンディでお菓子の家を飾りつけたの?

子どもが立派なお菓子の家を完成させましたね!
キラキラ輝く子どもの目を見ると、ほめられたくてたまらないようです。
思いきりほめてあげて、どうやってつくったのか、子どもの説明を聞いてみましょう。
きっと時間が経つのも忘れて、得意げに説明するはずですよ。
来年はもっと素敵に飾りつけて、ママとパパを驚かせようと思っているかもしれませんね。

ヒント candy cane:赤白の縞になった杖の形をしたキャンディ。

今日の
語句　**decorate** 〔動詞〕飾りつける

367

I want to make my own postcard to send to friends.
お友達に送るカードを手づくりしたいな

You should send a holiday postcard to your friends.

お友達にホリデーカードを送るといいよ

アメリカではクリスマスや新年を祝って、
家族や友人にホリデーカードを送る文化があります。
到着するまで通常2週間ほどかかるので、早くから準備して送ります。
カードには簡単な挨拶と、ポジティブで愛に溢れたメッセージを盛り込みます。
カードを選んだり、飾りつけたりするのも、子どもたちにとっては楽しい活動でしょう。

| 今日の語句 | **postcard** 〔名詞〕ポストカード、郵便はがき |

**Of course!
Can I lick the bowl?**

もちろん！ ボウルについてる
生地を食べてもいい？

Do you want to learn how to bake cookies with Mommy?

ママと一緒に、クッキーを焼いてみる？

寒い冬は、あたたかい家の中で過ごす時間が増えますね。
そのためアメリカでは、おのずと家でパンやお菓子づくりをすることが多くなります。
ママとパパと一緒に生地を丸くかたどったら、オーブンに入れましょう。
オーブンの扱いには要注意ですが、
子どもはクッキーをつくりながら想像力を発揮するでしょう。

| 今日の語句 | **bake** 〔動詞〕焼く |

Yes. I'll make some for you too.
うん。ママのもつくってあげる

Are these sugar cookies for Daddy?

ここにあるシュガークッキーは、パパの?

丹精込めてつくったクッキーは、家族や友人のためにラッピングしてプレゼントすることも。
子どもが自らクッキーを飾りつけたり、ラッピングしたりできるよう手伝ってあげましょう。
自分でつくったクッキーをプレゼントとして渡せば、大きな達成感を味わえるはずですから。
「誰々のためのクッキーだ」と言うときは、
'These cookies are for 〜(誰々).'と表現できますよ。

今日の語句 **daddy** 〔名詞〕パパ

I'm still learning.
まだ練習中だよ

Do you know how to ice-skate?

アイススケートできる?

アメリカでは、12月になると市内の中心街に大きなクリスマスツリーが立てられ、
アイスリンクが設置されることもあります。そこではクリスマスキャロルを聞きながら
楽しくスケートをする子どもたちの姿を見ることができます。
氷の上をすべったら、きっと最高の思い出ができるでしょう。

 今日の語句　**ice-skate** 〔動詞〕アイススケートをする

I've never had it before.

まだ一度も飲んだことがないの

Do you know what apple cider tastes like?

アップルサイダーはどんな味がするか知ってる?

アメリカのスーパーマーケットでは12月になるとクリスマス専用の飲み物、
アップルサイダー (apple cider) が販売されます。濾過されていないリンゴ果汁を
冷やして飲むこともできますが、冬にはあたためてお茶のようにして飲むこともあります。
シナモンスティックを入れて飲むべきだと言う人もいます。
子どもと一緒にあたためたリンゴジュースにシナモンを入れて飲めば、
似たような雰囲気を味わえますよ。

今日の語句　**apple** 〔名詞〕リンゴ

**I want a doll house
for Christmas.**

クリスマスにはおにんぎょうの家が
ほしいな

What do you want for Christmas?

クリスマスプレゼントに何がほしい？

クリスマスが近づくと、子どもとプレゼントについて話すことでしょう。
'What do you want for Christmas?' と、
一日に何度も尋ねることになるかもしれません。
子どもの話に耳を傾けて、後日、百貨店やスーパーマーケットに行けば
子どもの喜ぶクリスマスプレゼントを選べるはずですよ。

 今日の語句 **Christmas** 〔名詞〕クリスマス

I think you built it! It looks like you!
ママがつくったんだと思うな！　だってママにそっくり！

Who do you think built this snowman?

この雪だるまは、誰がつくったと思う？

初雪が降った次の日は、必ずと言っていいほど雪だるまを見つけることができます。
元気いっぱいの子どもたちが外に出て、雪だるまをつくったようですね。
雪だるまを「つくる」と英語で言うときは make や build を使います。
3つの大きな雪玉で胴体をつくったら、
ボタンやニンジン、枝を使って目、鼻、腕をつくりましょう。

 今日の
語句　**snowman**〔名詞〕雪だるま

Nice hat! Can you take our picture?

素敵な帽子！　一緒に写真を撮って！

I found a winter hat for the snowman.

雪だるまにかぶせる帽子を見つけたよ

外はとても寒いので、雪だるまにも服を着せたら喜ぶかもしれません。
帽子、マフラー、コートまで用意する子どももいるんですよ。
人間のように服を着せるのも、子どもにとっては楽しい遊びになります。
雪だるまに服を着せて名前までつけたら、まるで新しい友達ができたような気分です。
得意げにしている子どもの顔を、写真に収めることも忘れないでくださいね。

 hat〔名詞〕帽子

375

Look at my snow angel, Daddy!
パパ、わたしの
スノーエンジェルを見て!

This is how you make a snow angel.

スノーエンジェルはこうやってつくるんだよ

雪が降ったら、スノーエンジェルをつくるチャンスです。
雪だるまをつくるより簡単で、まだ幼い子どもたちでも楽しく遊ぶことができます。
ふわふわに積もった雪野原に寝転がり、手足を広げて、上下左右に動かしてみましょう。
素敵なスノーエンジェルをつくったら、写真を撮ることもお忘れなく。
さらに雪が降ったらすぐ消えてしまうでしょうから。

ヒント スノーエンジェルとは新雪の上で人が手足を動かしてできた跡。天使のように見えることからこう名づけられました。

今日の
語句　**angel**〔名詞〕天使

It feels so nice.
とってもあたたかいなぁ

Come warm your hands up.

こっちに来て手をあたためよう

冬はあっという間に手がかじかみます。雪遊びをしたあとはとくに冷えますね。
アメリカでは普通、各々の家庭に暖炉があって、その前で手をあたためるんですよ。
暖炉がなければ、あたたかい床の上に敷いた布団の中に手を入れたりもするでしょう。
こうしてあたためることを、warm upと表現します。
料理をあたためるときもwarm upと言うことができますよ。

ヒント 床暖房のことを言うときはこう表現しましょう。'The heated floor feels so nice (あたたかい床、うれしいな)'.

今日の
語句　**warm up**〔句動詞〕あたたかくする

The Christmas lights make me so happy!
クリスマスのイルミネーションを見るとうれしくなるな!

Let's go look at Christmas lights together.

クリスマスのイルミネーションを見に行こう

アメリカでは、クリスマスになると家の外をきらびやかな電球で飾ったり、
大きなオブジェを置いたりします。そのため、夜になると子どもを車に乗せて
ゆっくりとドライブしながら近所を回るのも、昔ながらの風習になっています。
素敵なクリスマスのイルミネーションを見ながら、家族で楽しい時間を過ごしましょう。
百貨店や街中で売られているイルミネーション商品を、
一緒に買いに行くのもいいですね!

 今日の語句　**together**〔副詞〕一緒に

**Do you think
Santa will like
my Christmas stocking?**

サンタさん、わたしのくつ下を
気に入ってくれるかな?

Let's hang your Christmas stocking above the fireplace.

クリスマスのくつ下を暖炉の上にかけよう

アメリカではクリスマスが近づくと、クリスマスストッキングというくつ下を暖炉にかけます。
この中に、サンタクロースがこっそりプレゼントを入れていきます。
アメリカでは、悪さばかりしているとかわりに石炭を入れられるという言い伝えがあります。
そのため、くつ下の中から石炭が出てくるんじゃないかと
心配する子どもたちもいるんですよ。
暖炉のかわりに、テレビの上にくつ下をかけてもいいですね。

 fireplace 〔名詞〕暖炉

It's so shiny!
すごくキラキラしてる!

This ornament is just for you.

このクリスマスツリーの飾りは、きみのためのものだよ

アメリカでは、クリスマスにプレゼントを贈り合う前に、
友達や家族とクリスマスツリーの飾りを贈り合ったりもするんですよ。
キラキラ輝く飾りを握りしめた子どもの小さな手は、とてもかわいいですね。
クリスマスツリーを飾りつけるたびに思い出がよみがえることでしょう。

 今日の
語句 **ornament**〔名詞〕(クリスマスツリーの) 飾り

Can we sing
Jingle Bells?
ジングルベルを歌わない?

Let's sing Christmas carols by the Christmas tree.

クリスマスツリーのそばでキャロルを歌おう

クリスマスが近づくと街中でキャロルを聞くことができますが、
自らキャロルを歌うと、比べ物にならないほど楽しくて幸せな気分になります。
みんなで一緒にクリスマスツリーを飾りつけて、クリスマスを祝うキャロルを歌いましょう。
もっと幸せな気分を味わえるように!

今日の
語句　**carol**〔名詞〕キャロル

**I can't wait
to open
my presents!**
早くプレゼントを
開けたいな!

Christmas is only two days away!

あと2日でクリスマスだね!

アメリカには、クリスマスのための特別なカレンダーがあります。
12月25日までの数字が書いてあり、毎日1枚ずつめくりながら楽しむカレンダーです。
これをAdvent calendarと言うのですが、カレンダーによってはチョコレートの
入った箱がぶらさがっていて、ひとつずつ取り出して食べることもできるんですよ。
2日後に迫ったクリスマス。子どもたちはドキドキです。

今日の
語句 **away** 〔副詞〕(時間的に) 離れて

**Will Santa like
my cookies?**
サンタさんはわたしの用意した
クッキーを喜んでくれるかな?

Let's leave out some cookies and a cup of milk for Santa.

サンタさんのためにクッキーとミルクを準備しておこう

今夜、みんなが寝静まったあとに、サンタさんがやってくるはずです。
アメリカの子どもたちは、プレゼントを渡しに来たサンタさんがおなかを満たせるように、
寝る前にサンタさんのためにクッキーやミルクを準備するそうです。
目を覚ましたら、すぐにクッキーとミルクを確認します。
クッキーとミルクがなくなっていたら、サンタさんがやってきたという証拠ですから!

> 今日の
> 語句　**milk**〔名詞〕ミルク

I got exactly what I wished for!
思ったとおりのものを
もらえたよ!

What did you get from Santa?

サンタさんから何をもらったの?

朝、目を覚まして靴下の中を見ると、何か入っています!
いったい何が入っているのでしょう? あっと驚くプレゼントでしょうか?
子どもがワクワクした気持ちでプレゼントを開けられるようにしましょう。
うれしそうな顔の子どもを見れば、ママとパパも幸せな気持ちになるはずです。
興奮した子どもと、プレゼントについて楽しくおしゃべりしてみましょう。

今日の
語句 **Santa** 〔名詞〕サンタさん

My uncle sent it.
おじさんが送ってくれたの

Who sent that postcard to you?

そのカードは誰から送られてきたの?

年末にはクリスマスプレゼントだけではなく、カードもたくさん届きます。
カードをもらったら、みんなで見られるようにクリスマスツリーや壁に飾るそうです。
そのカードがどこから来たのか、誰が送ってくれたのかについて、おしゃべりできますね。
子どもがもらったクリスマスカードを飾りつけて、一緒に盛り上がりましょう。
ついでに、子どもにカードを書くのもいいですね!

今日の
語句　**send**〔動詞〕送る

Can we make snowballs together first?

まずは一緒に雪玉をつくろうよ

Let's have a snowball fight!

雪合戦をしよう!

ほとんどの子どもが喜ぶ遊びのひとつが、雪合戦でしょう。
雪を丸めて投げる遊びは、とても刺激的でおもしろいですよね。
英語では「ボール」を強調して、snowball fight (雪玉の戦い) と言います。
雪合戦をする前は必ず 'Let's have a snowball fight!' と叫びましょう!
きっと楽しい時間になりますよ。

今日の
語句　**fight**〔動詞〕戦う

**Can we all
sing a song
together too?**
みんなで歌も歌えるかな?

Do you want to call grandmother to wish her a happy new year?

おばあちゃんによいお年を、の電話をしようか?

年末にみんなで集まって顔を見ることができれば一番でしょうが、
遠くに住んでいる家族とは、電話で挨拶をすませる場合もありますね。
たとえ電話での挨拶になっても、思いやりの気持ちが伝わるように、
新年に顔を合わせたら一緒にやりたいことについて話してみるといいでしょう。

 今日の語句　**call**〔動詞〕電話する

POPCORN

Can we eat popcorn while we watch?

映画を観ながらポップコーンを食べてもいい?

Would you like to see a movie about New Year's Eve before bed?

寝る前に年越しのおもしろい映画を観ようか?

年末は、どこの国も似たような雰囲気をしているような気がします。
アメリカでは、あたたかい家で家族みんなで映画を観ます。
例えば『ホーム・アローン』のような映画を。
内容は皆が知っているけれど、家族の伝統なので何度観ても飽きることはありません。
むしろ、観るたびにより おもしろくなるような気がします!

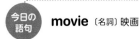 **movie** 〔名詞〕映画

The snow is so bright it hurts my eyes.
雪がまぶしすぎて目が痛いよ

Everything is covered in snow!

全部、雪で覆われているね!

ぼたん雪が降ったときにこう言ってみましょう。
白い雪で覆われ、キラキラと輝く世界を子どもに見せながら使える表現です。
木、車、道、山がすべて雪で覆われると、まるで世界が真っ白に変化したようです!
こういうときは、covered in snow と言うのがより自然な表現です。

 今日の語句　**covered** 〔形容詞〕覆われた、隠れている

Can I get two kisses, please?
2回してくれる?

Here's the last kiss of the year! I'll make it extra sweet for you!

今年最後のキスだよ! とびきり甘いキスをあげる!

子どもが眠る前にママ・パパがしてくれるキスは、
とくに愛おしく感じられるものです。ということは、
12月31日の大晦日には、さらに特別な気持ちでキスをすることになるでしょうね。
明日の朝、新年になったら、もっと甘いキスをすることになるかもしれません。
明日になるのが、とても楽しみです!

今日の語句　**year**〔名詞〕年

今日の語句

さくいん

オリバー・グラント　Oliver Grant
言語学・スペイン語学士、TEFL国際英語教師。
アメリカ出身。10年以上、非英語圏の学生たちに英語を教えたのち、渡韓。小中学校で英語を教えつつ、YouTubeに英語学習の動画を投稿しはじめたところ、教科書にはない実践英語を学びたい人たちからの反響が大きく、登録者数220万人超のチャンネルに成長した。現在は韓国人の妻チョン・ダウン、娘のチェリーとともにアメリカ在住。
YouTube @Oliver-ssam　lnstagram @oliverkorea

チョン・ダウン　Da Woon Jeong
韓国出身、アメリカ在住。33歳の誕生日に、夫のオリバーからiPadをプレゼントしてもらったことをきっかけに、lnstagramでウェブトゥーンの投稿をはじめる。韓国人がアメリカで暮らす中で経験する、文化や考え方の違いなどを日常系ウェブトゥーンにした投稿は共感を呼び、フォロワー数は17万人を超える。
lnstagram @manim_toon

1日1フレーズでぐんぐん伸びる!
子ども英語366

2023年12月12日　初版発行

作／オリバー・グラント
絵／チョン・ダウン
翻訳協力／株式会社トランネット

発行者／山下 直久
発行／株式会社KADOKAWA
　　　〒102-8177　東京都千代田区富士見2-13-3
　　　電話　0570-002-301（ナビダイヤル）

印刷所／大日本印刷株式会社
製本所／大日本印刷株式会社